JN096846

# 人間にとって「教養」とは

ad dignitatem hominis

岡田渥美
okada atsumi

文理閣

# まえがき

「日頃より、屡々それに思いを馳せれば、その都度いつも、新たに真摯な驚嘆と畏敬の念が喚び覚まされ、それに伴って心が、まこと豊かに充たされるものが二つある。一つは、天空あまた煌めく星影の整々たる運行であり、いま一つは吾が内なる厳然たる道徳律である」――これは断るまでもなく、かの大哲学者I・カントの墓碑銘である。

本書の標題からは「教養」が主題であるはずが、冒頭に何故カントの名文が掲げられているのか。一瞬戸惑ったり、訝しく思われた方々も居られよう。然し私としては、唐突でも場違いでも、況や矛盾などとは思わない。本書の趣意全体とカントの右の文面との間には、図らずも本質的な親縁性が認められるからであり、「人間存在（Menschsein: human being）とは？」「そも人間とは何ものなのか？」という根源的な問いが、双方ともに真正面から問われているからである。

ただし、両者のアプローチの仕方や方法論については、むろん別個であることは、予めここで明示しておかねばなるまい。カントは人間の基本的能力を、凡そ三種の理性として区分し、あくまで論理的に、それぞれの「権利（正当性の）根拠」（Rechtsgrund）を厳密に吟味し、各理性の「可能と限界」を確定しつつ、他の有機体（Organismus）とは豁然と次元を異にする「仮象の世界」（Scheinswelt）におけるリアリティを発見し、そこから道徳・倫理、さらには美的・宗教的な各領域の解明に努めた。その全体系を、彼独自の「哲学的人間学」と見做すのは、けだし妥当な理解であろう。

それに引き替え、私の思索は、常に己れ自身の実体験を基盤に置き、自らの内的「直覚」（intuition）を頼りに、もっぱら「自己内対話」を繰り返すしかなかった。

私見によれば、「教養」とは所詮、自己自身の心的錬磨を通じ、己れの「人間らしさ」（Menschlichkeit）の実質を、より一層向上・醇化する「自己陶治」（Selbstbildung）に外ならないと観ており、今回「人間教養」をテーマに論考するにあたっても、単なる客観的・合理的な論法は避けたいと思う。正直に申せば、それ以外に私には〝手〟がないのである。従って己れ自身に対して、「いつも〝信(まこと)〟を履け」とのモットーを掲げている以上、私自身にとって最も忘れ難い、否、決して忘るべからざる究極の体験に、概略なりとも触れざるを得ない。

すなわち、太平洋戦争の最末期、私が十二歳（旧制中学一年生）当時、思いもかけぬ「広島原爆」に突如際会し、それに直接まつわる一連の痛恨事であった。母と妹の直接被爆による即死に加え、つい四カ月前まで小学校（当時は男女別学の国民学校）で、共に机を並べていたクラスメイトの大半が爆死したのであった。この客観的事態は、そのままそっくり、私自身の人生の発端となったのである。シンボリックな表現をすれば、多くの親しかった人々の「被爆横死」の只中から、私のすべての人生が始まったのである。だが、そうした私の過去の内的実状は一切、本文に委ねるのが至当であろう。

今ここで「教養」について何がし発言するのであれば、皆さん方に是非とも忠言申したいことがある。「教養」に関して肝腎要のポイントは、徹頭徹尾「自己自身が主体」でなければならない。逆にいえば、こと「教養」に関する限り、万事は「自己責任」で実行実践されるべきなのである。いつも自主的・自律的に思索・判断し、自分にとって己れが、果たして「恥ずかしくない」存在かどうかを吟味し、己れを「尊敬に値する人物」(respectable person)へと、高い「矜恃」(self-reliance)をもって、己れの人間性・人格性のさらなる向上・陶冶に、清々と取り組む人士こそが、真の「教養人」であろう。このように語り来れば、いかにも私が「石部金吉」の野暮天と思われ兼ねまい。それを無言に付するのも却って不粋ゆえ、従来の多様な教養のなかでも飛び切り異色の事例を、ちなみに一件だけ述べておこう。

二十歳代初め頃、東京は新宿の寄席（よせ）「末廣」で、当時すでに相当老齢の落語界重鎮、古今亭志ん生師匠による「男が廃る（すたる）」と題された一席に、肚の底から感銘を覚えたのであった。「オワライ」とは言い条、単なる「笑い咄（ばなし）」とは全然別もので、私には正に絶品の「教養体験」であった。すなわち、「男」――と限るより普遍的な――人間としての「責任と義務」から逃れようとする徒輩の生き方について辛辣かつ滑稽千万の批判を加えつつ、実に骨太な粛然たる人生観を授けられたのである。その本質的根幹は、今なお只ならぬ迫力で私の指針となっている。つまり、本人自身が真の教養体験を希求する熱意を保持する限り、何時でも何処でも、何事につけても、天は偶然に仮託してでも望みを叶えくれると信じよう。

さて最後に、もう一つ付言したい。本書で私が「教養体験」という場合には、そこに必ず「実践」への強い志向が内包されていること、すなわち「体得」と「実践」とは、本来的に一体であることを承知しておいてほしい。具体的実践を伴わぬ「教養」など無意味以外の何ものでもない。だからこそ、本文の大部分を通じて、私自身が体験し、実践した多種多様な具体的で〝活き活き〟した教養の実相・実態を、可能な限り詳しく語った心算である。そこから、「教養体得・実践」上の動機、場所柄、環境条件、雰囲気等々、全般に関して、皆さん方の自律的な活用を期待する次第である。

なお、本書の密やかな副題として、「人間の尊厳を目指して」もしくは「人間の尊厳に関わって」という意のラテン語一句を添えた。

# 目次

## II

I

# 一　憧れ――松中・深志高校での「学び」の実相

"Striving for the ever-greater"（K・ヤスパース）

## 母校に招かれて

皆さんこんにちは。

皆さん方は毎日、活き活きと生きていますか。

活き活きと学んでいますか。

いきなり何か不躾(ぶしつ)けなことをお尋ね申したようですが、実はそうではありません。いま私が立っている場所は外でもない、私にとっては最も懐しい母校（alma mater）であり、したがって私が語りかけつつある皆さん方は、最も親しみを感じている大事な後輩諸君なのですから。

かつて、あなた方も御存知のジャン＝ジャック・ルソーという思想家は、次のように語りました。「人間は二度生まれる。第一は、この世に登場してくる文字通りの誕生、そして第二は、青年期における魂の誕生である」と。あなた方は今まさに、お一人お一人が、魂の誕生の時期を迎えておられる。人生の最も大切な時期にさしかかっておられる。だからこそ、私は心からの敬意と期待と祈りをこめて、先程のようなお尋ねをしたわけです。そして全く同じ切なる思いをこめ、ここの右手に掲げてあります、「憧れ」という題のお話を、あなた方お一人一人の魂に向かって語りかけようと思って、こうして壇上に立っている次第です。

実を申しますと、教頭の山本伍朗先生から、――長年にわたり互いにゴロちゃんとオカダでやってきた間柄なので、今日もゴロちゃんと呼ばせていただきますが――もう半年も以前から、この講演のお話が重ねてありました。そのとき、正直にいえばなんとかお断わりしたいものと思っていたのです。何とも言えない、ヘジテーションの気持ちが私にはございました。母校にお招きいただいて、在校生の皆さん方に向かって卒業生としてお話しすることは、確かに光栄この上もないことですが、果たして自分には、それに値するだけの値打があるかどうかを反省してみますと、とても恥ずかしい限りです。要するに、「しょうしくて」ならなかったのです。そういう気持ちに駆られ、二度はお断わりしました。ところがゴロちゃんが三度目に、

「俺も今年度で最後になるで、頼む」と言われました。これは私にとって、実に実に重い言葉でありました。この五十年来の親友の頼みを今聞き容れなければ、「俺は人間でなくなる」と、とっさに決心しまして、翻然と引込み思案をかなぐり捨て、母校のあなた方の若い魂に、本気で語りかけようと思い定めたのでした。

人間は不思議なもので、私のように還暦を過ぎる程の齢になりますと、次の世代の方々がぐんぐんと成長してきてくれるのを、心から、純粋に寿ぐ気持ちに満ち溢れてまいります。それこそ純粋に、若い方々のためになることなら、なんとしてでも力になりたいという気持ちがふつふつと沸いてくる、そういう年齢になりました。そうした一般的な老人の気持ちに加えまして、さらに諸君は私にとりまして、かけ替えのない親しい方々なのであります。

私は正確には四十八年前に、あなたがたと同じこの深志高で、先程校長先生がお話しくださいましたように、実に八年間学んだ人間であります。そうです八年です。不思議に思われるかもしれませんが、実は前後に二度、私はこの学校で落第をしておりまして、八年間生徒でいたわけです。ご紹介にもありましたように、昭和二十年、あの敗戦の年の八月六日、広島の原爆で母と妹のみならず、小学校五・六年次の同級生のほとんどを失ってしまった。その虚無と痛恨の念を抱えこんで、そのまま私は終戦の年に旧制松本中学校の一年生に、広島高師の付属中学校から転入学してまいったのです。しかし、二歳三カ月で突然母親を失ってしまった、私の一番下の弟の子育てに専念せざるをえず、私は転入学したまま進学できず、翌年の四月から一年生をやり直したというわけです。その時以来同級生としてずっと親しくさせていただいてありますのが、教頭先生のゴロちゃんであり、また長年この深志の名物教師として名を馳せました、通称コバ、小林俊樹さん。こういうような方々をはじめ、本当に懐かしい深志の第三期生の方々が、私にとっての本当の同級生諸君です。多くの言葉を交わさずとも、自ずとお互いの腹の中がわかりあえるような、そういう生涯の友人達に沢山恵まれた場所、それこそが我が「深志」なのでありまして、私にとって文字通り青春そのものを生きた場所、切ないほどに懐かしい場所がこの深志校なのです。

ですから、なんじょうあなた方を他人と思えましょうや。なんじょう路傍の人と思えましょうか。私の魂の誕生の場、私の魂の目覚めの郷里で、今同じように、ここで学びの道をひた走っておられる諸君に、私が何故このように偽りなく熱い思いで語りかけようとするのか、いく分かはわかってくださったと思います。

## 「憧れ」が培われた松中・深志校

さて唯今、松中・深志は我が魂の生まれ故郷だと申しました。これから具体的に、そのことに触れる思い出をいくつかお話しいたしましょう。思えば私たちは、洵にありがたい先生方に、よくぞ恵まれたものだと感嘆せずにはおれません。あの先生方を、今でも本当に讃仰せずにはおれない気持ちです。そうした先生方を中心に以下、私の松中・深志校での生活を、具さに思い出してみたいと思います。と申しますのも、その先生方によって私は、おそらくはまた同級生もみんな、初めて人間として、ほんとうに「憧れる」ということは一体どういうことかを、――決して単なる言葉だけではなく、行為・行動の全体を通じて、先生方が身を以てお教えいただいたと信ずるからです。実はその話を、本日は是非お話し申したいと念願して参上した次第です。先生方のおのずからなるお導きのもとで、間違いなく「憧れ」を抱いて深志生活を生きぬいてきたように思うからです。

　そうした懐かしくて、また限りない感謝をこめて、それぞれの先生方の思い出を、正確に申せば、個性ゆたかな先生方と私たちとの心の交わり、コミュニケーション、つまり真の人間的な交流、交渉の実相について、次に詳しくお話ししたいのです。それがおのずと、私自身の深志体験をお話しすることになろうかと存じます。その私の深志体験こそは、こんにちの私という人間の人格的核心を、中核の部分を形づくっていることは、顧みて疑いもなく明らかな事実だからです。

# それぞれ個性あふれる恩師

## 英語の松峯隆三先生

最初に私たちの魂に、直かに飛び込んでこられた先生として、まず松峯隆三先生のお名をあげねばならないと思います。旧制中学一年生の最初の授業時間、つまり、昭和二十一年の春のことです。それこそ両眼から、炎が吹き出すかのような勢い、“Good mornig, boys !”こう叫んで教室に入ってこられた。これにはまずびっくりいたしました。つまり、最初から oral instruction をしてくださったわけです。いきなり上着をたくしあげたと思ったら、即座にお ヘソを出されて“This is a navel”と、こういう感じになさる。そうかと思うと、やにわにプラットフォームの上でゴロゴロと寝返りながら“turn round”と教えてくださる。全くの体当たり授業。当時は食物も乏しく、栄養失調の状態でありましたために、大の大人でもおネショをしたり、下痢が続いたりということが多かったわけです。あるとき松峯先生は、なんとズボンを後前に反対にはいて登校してこられた。どういうことか、おわかりでしょうか。つまり、後ろ前すぐトイレにかけこんで、ぱっとお尻を出せるように、その時間がもったいなくって、後ろ前にズボンをはいて出講されたのです。まあ、このように純粋無垢の教育者魂、教育的情熱のほとばしりでる松峯先生の授業で、我々はおのずと、あおられるように心弾んで、それこそ真一文字に英語の勉強に取組んだものでした。お陰様で英語の上達は、皆たいへん早くて、その年の秋十一月三日を中心にした「記念祭」――今では「とんぼ祭」と呼んでいるようですが――当時は単純に記念祭と申しており、この祭にTom's Daily Lifeと題する英語劇を、（これには歌もふんだんに入っておりましたので）今風に言うと一種のミュージカルと言っても良いかもしれませんが、それを上演するまでになりました。そのとき私は演出の役をいたしました。

Ladies and gentlemen, before presenting this little play named Tom's Daily Life, please allow me to say a few words as the director of this playというようなのが、前口上でした。それが、深志の講堂壇上で、校友の方々を前に何か演じたことの最初です。実は他にも何回か、あちらの講堂の小林有也先生の筆になる「起居有礼」というあの扁額のもとで、何回か私は壇上に登った思い出がございます。

昭和二十五・六年だったかと思います。初めて「相談会」の決議のもと合唱コンクールも始めました。本日伺ったら屋上にへんぽんと鯉のぼりが泳いでおりましたが、最初に「鯉のぼり」を作ってたてたのも、私たち同期生達でした。合唱コンクールでは最初の年、「アロハ・オエ」とシューベルトの「鱒」で一等賞をもらいました。次の年には、なんとベートーベンのDie Ehre Gottes in Natur「自然における神の栄光」を原語で歌いまして、みごと二回とも一等賞で、ご褒美の賞品としてカリン糖を頂戴して、悦にいったものでした。

## ドイツ語の国見金熊先生

当時の深志校では、英語の外に第二外国語として、ドイツ語かフランス語の学習が慣わしでした。ドイツ語は国見金熊先生、本名が金熊でそのままニックネームになりました。国見先生は不思議に、英語の授業の時はお優しいのですが、ドイツ語の授業をなさいますと、とたんに恐い迫力のある先生でございました。まるで鍾馗（しょうき）様のように太い黒々とした眉を逆立てギョロ目で、「なんだこんなもんがわからねえだか！」と、腹の底からの太い声で、本当に圧倒的な権威を感じました。高二の春にドイツ語を始めまして、一学期間でみっちり文法を仕込まれ、秋には早くもシュトルムの美しくも悲しい恋物語で Immensee という作品をテキストとして読みました。本当に若い頃でありましたから、心ふるえるような悲恋の物語にひたった思いがあります。そして二年目の三年生の時には、エッカーマンの Gespräche mit Goethe『ゲーテとの対話』を教科書として用い、かなりのページ数を読んだ記憶がございます。このことからも、深志の生徒たちの語学力もさることながら、総じて我々が学びつつあった文物の質、教養の高さというものが、いか程のものであったか理解していただけるだろうと思います。

## 数々の演劇上演

当時の「記念祭」、今の「とんぼ祭り」で我々が上演いたしました演劇の題名を思い出すだけでも、その質の高さに今さらながら、びっくりする思いがいたします。あの有名なゲーテの親友で、あい並ぶドイツの文豪として有名なフリードリッヒ・シラーの劇に、フランス革命を題材にした『群盗』というのがあります。群れをなす盗賊達、「群盗」。あるいはゴーリキーの『検察官』。あるいはチェホフの『桜の園』。こういう質の高い作品を、我々高校生が上演したのです。

当時は日本国中、占領軍の支配下にありましたので、連合軍総司令部（GHQ）に予め脚本をすべて提出して、許可を受けなければなりませんでした。演劇部員ではございませんでしたけれど、かなり演劇にコミットしておりました私も、夜汽車で何回も許可をもらいに上京した記憶がございます。

## 記念祭にお招きした卓越の講師陣

また、同じ記念祭にお招きをしました講演会講師の方々、これもびっくりするような顔ぶれでした。よくもまあ田舎の高校生のために御来駕くださったものだとあきれます。例えば、フランス文学の泰斗（たいと）といわれました辰野隆先生、当時すでにもう東大をご退官になっておられましたが、「これはこれガスコンの騎兵隊、率いる隊長ガスコン・ド・カステル・ジャルー」といった、たいへん名調子の『シラノ・ド・ベルジュラック』の翻訳者ということで、前々から知っておりましたので、心わくわくしてお話を伺ったものです。その時の演題は「フランス革命の話」でした。ダントン、マーラー、ロベスピエールというような具合に、その辺までは確かに革命の進行についてお話が進んでいったのですが、いつの間にやら話がそれて、ロベスピエールの愛人の話となって、さらにはアングロ・サクソンの女性は肩がバッと、衣紋掛けのように張っており、対するラテン系の女性はお尻がポンと出ておりまして、という風な、実に洒脱なお話にかわっていきました。胡麻塩頭をきちんと七三にお分けになって、大きな老舗の大番頭さんのような実直な御風情で語られました。この女性談義は、決して下卑たものではございませんでした。

そんな話が高校生を相手に話せたのだろうかと不思議にお思いかもしれませんが、実に宜いお話でございました。荒々しい革命、残虐目を蔽わんばかりの革命の最中でも、名もない男女のひたむきな恋愛、その人間としての美しさ・誠実さ――そういうものこそが、実は人間の文化を多様な豊かさ、香り高きものへともたらしてくれる所以のものではなかろうか、という趣意を、実に淡々と語られた印象、今でも非常に鮮やかに思い出します。

その他に理論物理学者として、ノーベル賞に輝いた朝永振一郎先生、この方もいらっしゃいました。あの、種なしスイカなどをお作りになった遺伝学の先生で、今は種なしブドウがはやっておりますが、その源をお築きなさった先生もいらして下さいました。

あるいは、ちょっと毛色の変わった音楽家としては、日本人として初めて世界で通用したバリトン歌手の中山悌一氏、これらの方々が深志の記念祭に、お越しくださったのです。

こうした、各界における超一流の方々に、直に我々は接することが出来た。そして、これまで想像もしなかった程の、「はるかに美しいもの」、「はるかに高いもの」、「はるかに優れたもの」、「はるかに偉大なるもの」――こういうものに直に触れて、我々若人の魂がどれ程昂揚したか、どれ程激しく強い憧れを呼び起こされたか、どうぞ想像してみて下さい。そして、各界の超絶した方々に仲介の労を執られた松中・深志の先生方の御尽力の程も、お察しするに余りあります。

## 国語の古田武彦先生

そのように高々と舞い上がってしまった我々の憧れを、もう一度しっかりと日常の学習生活のうちにつなぎ止めてくださったのが、外ならぬ松中・深志の先生方です。いや、むしろ平生の地道な努力の積み重ねの中にこそ、この激しく強い憧れというものを、自ら満たしていく確実な道があるということを、身をもって示し教えて下さったのが、松中・深志の先生方だったのです。

　古田武彦というお名前を、知っている諸君も多いでしょうが、『「邪馬台国」はなかった』という書物で、日本の古代史学を根底からひっくりかえすような、学問的な波紋を呼び起こしたのが、後のちの古田武彦先生であります。この先生は東北大の日本思想史を卒業されてすぐに我が深志に赴任してこられまして、国語を教えて下さいました。チョークの使い方なんかも全然御存じなく、一時間のうちに二十数本、ボキボキボキボキと折ってしまわれた。そういう新任の先生が国語の最初の時間に、それこそ口角泡を飛ばしながら大きな黒板を左右いっぱいに使われて、熱心に語ってくださったのは、あの古代ギリシャの大哲学者プラトンの「洞窟の比喩」という話でした。

　少しご紹介してみますと、我々が日頃、実在であると信じて疑っていないもの、それは実はとてつもない深い深い洞窟の中で壁に向かって座っている者が、後ろから来るか来ないかわからないような幽(かす)かな光で、自分の影を見て、誤ってそれを実在だと思いこんでいるにすぎない。ところが、そうだとばっかり信じてきた人が、ある時壁に向かっていた自分の姿勢を一八〇度翻って、長大な時間を費して洞窟の入り口にやっと達する。その時、彼は初めて真実の光を見ることが出来る。だがその真実の光、真実在の元来の眩しさで、ほとんど卒倒しそうになるくらい目もくらむ中で、本当の認識、真の真実在の知識を得ることが出来る。真の認識とは、それ程にすさまじいものなのだ。天も地もひっくりかえるような驚天動地の事柄なのだ。真実在の認識ってものは、それ程に凄いことなのだということを、古田先生は情熱こめて語って下さったのです。今にして思いますと、おそらく先生は、これからおまえ達と、その目もくらむ眩しい真実なるものを、一緒に追いかけて行こうではないか。真実在なるものにあくまでも憧れ抜いて、どこまでも愛求し抜こうではないか。そういった新任の先生としての意気込みを、あの時しっかりと我々に示して下さったのだと考えております。

## 小原元亨(もとたか)先生と『新約聖書』

ところで、もっと静かなかたちで日常的に、我々に「憧れ」というものを呼び覚ましてくださいましたのが小原元亨先生でした。小原先生は、記念祭の最後の大運動会の日に赴任してこられまして、何の紹介もないまま、いきなり、ボール蹴り競技に出場なさった。まあ今でいうヒッピーみたいに、長髪をなびかせられて、いきなり球蹴りに熱中されたのです。ヨレヨレのナッパ服に日本手拭いを腰からぶら下げて、はだしで韋駄天(いだてん)走りなされた。それを、われわれ生徒が見て、「やあ今度来た小使(こづかい)さん、元気がいいぜ」と言い交わしていたところ、運動会が終わって、ファイヤーストームになる直前に、皆が唖然として声を失ったのです。校長が、今度新任で来られた小原先生と告げたからです。この先生は、東大の哲学科で社会学を専攻なさいました後、いっとき新聞記者などもおやりになって、やがて我が深志におみえになった先生で、社会科と英語をご担当でした。

この小原先生がいつのころか、教員室前の廊下に通常の三倍程もある大きな黒板をひっぱりだされて、毎週月曜日にそこに英語の長文を、いっぱいにお書きになって、一週間、黙ってほっておかれる。一週間たつと、新しい英文がまたいっぱいに書かれる。そういうことの繰り返しでありました。つまり、読める奴は読んでみろ、訳をつけてみろ、という無言の挑発であったことは、我々にもすぐ直感出来ました。ところが、それが並の難文ではないのです。難しい文章、並大抵の難しさではないのです。我々の頃にもある種の受験雑誌、受験参考書みたいなものがあって、たしか赤尾なにがしとかいう人の編じた冊子があったと思います。そういう英文読解の、簡単な文章などとは全く桁の違うものでした。しかも必ず、長い原文の最後に出典が明記されておりました。例えばThomas Carlyle, Heroes and Heroworship というような具合に。これになんとかチャレンジして、解答を作って一週間以内で仕上げて持って伺いますと、何とも言えない優しさと恥らいの交った表情で、乱杭歯（らんぐいば）の隙間からスッともれる息とともに、鋭いながらも人懐っこい眼差しで微笑みかけられる。そして必ず毎回、「ここはなんとかならねえカヤ?」とポツリ指摘なさる。その折の何とも言いがたい激励の気配に助けられまして、我々は再三チャレンジしようという勇気を取り戻すことの繰り返しでした。

まあ、人類が長い長い歴史を通じて考えに考えてきた思想、あるいは理想というようなもの、理念といったものの高さ、芳しさ、輝かしさ、素晴らしさが厳然として、この人間の世界には存在するのだということを、極めて静かな仕方で、我々の魂に刻みつけて下さったのが、小原先生であったと申せましょう。

ちなみに、もう一言つけ加えますと、この小原先生から個人的に頂戴しました小っちゃな、掌の中にすっぽり入ってしまうような New Testament『新約聖書』の英語版です。実はこれがきっかけとなりまして、私はやがて大学院のドクター・コースに入ってから、ルネッサンス期のヒューマニストの王者と言われる、エラスムスのキリスト教的ヒューマニズムの研究をラテン語で始めるようになったのです。その当時は、京大の大きな図書館にもエラスムスの全集はまだ入っていなかった頃のことです。まさに、小原先生から頂戴した『新約聖書』が機縁となり、後の私の研究方向に影響を与えて下すったと思っています。

## 最大の恩師、平林六弥先生

もうお一方、実に静かな仕方でお導き下さった先生は、平林六弥先生でした。私は松中・深志校にいる間中、この平林先生に担任をしていただきました。八年間。先程も言いました通り、八年もの長期間、私という大変なお荷物の面倒をみていただいて、文字通り「有り難き」

ことと思っております。そういうわけで、私も先生を慕っておりましたから、たびたびご相談に伺ったり、こういう事柄に関心をもっておりますとか、再々ご報告に伺ったわけであります。いつも先生は、「ああそうかい」とか「ああそうかや」とかだけしかおっしゃっていただけないので、ある意味では暖簾に腕押しの思いでした。そういう時、先生は積極的には語られず、幾分か上目づかいに私をご覧になる。どういうわけか私には確信がございまして、先生のこの睨み方は、——どう考えても諸葛孔明の眼光であると、今でも私はずっとそう思っておりますが、別段の理由があったわけではありません。諸葛孔明ばりの上目づかいで、実はじっと我々の魂を本当に大事に見守ってくださっていたように思うのです。

我々のドイツ語の力がついてまいりました頃、そのことを見定められたからでありましょう、ある時先生が、たいへん大判の美しいピンク色の表紙で、ガリ版刷りの分厚いドイツ語の原書を、「これ読んでみねぇかヤ」と仰って、お手渡し下さったのです。実はそれは、東大医学部在学中に、学徒出陣なされたまま、ついにお戻りにならなかった、先生の御令弟様の遺品だったのです。その書物のタイトルはDie vollkommene Ehe、あの有名なヴァン・デ・ヴェルデの『完全なる結婚』の原書でした。あるいは性教育のおつもりであったのか、あるいはドイツ語の力を倍増させるには、この種の本が一番有効だとお考えになったのか、その辺りのところは伺っておりませんが、亡き弟君様の大事な遺品であると知った私どもは、それこそ恐懼して、極めて大事に大事に、しかし極めて熱心に、額にも鼻の頭にも汗をかきかき読み進みました。Hügel Aphrodites「ヴィーナスの丘」とは一体、何を意味するのであろうか、といったようなことを、仲間同士で真剣に討論を繰り返しながら、ともあれ一夏で、このDie vollkommene Eheを読み抜きました。大学入試の時、私はドイツ語で受験いたしましたが、大学入試のドイツ語も、やがてまいりました大学院入試のドイツ語も、お陰様で完全無欠のフルマークを取りました。

## 小澤光顕先生と私たちの、日本初ロールシャッハ・テスト実践

こういうように、私たちは多数の先生方から、じつに実に手篤く遇していただいたと思います。私たちはそれぞれに小生意気ではありましたが、それだけ真摯に、真剣に本物に憧れ、真実なるものを求め、純粋なるものを追っかけておりました。そのことを深志の多くの先生方は先刻ご承知で、基本的に「よし」として認めてくださっていたと思います。そして、そのためにこそ滋しみ深く遇してくださったのであろうと思っております。

もうお一方、数学の小澤光顕先生がいらっしゃいました。顎がはって、お髭がびっしりと黒々と濃く、たいへん早口で、丹念にご説明をいただきますので、我々は「ペチャ熊先生」というニックネームを奉っておりました。

実は私が二年生のときに心理学部という名の同好会を結成しました。その顧問をペチャ熊先生にしていただきました。この新しい同好会は、実は日本で初めてロールシャッハ・テストという、一種の性格診断テスト法により一二四例の結果を出して例の記念祭の十一月三日に公表いたしました。つまり当時最先端の学問的業績をあげたのが、我々のグループだったわけです。

それはともかくとして、当時は全校生徒が直接民主主義方式で集う「相談会」で総てを決する生徒自治そのものの場で、新同好会の設立趣旨を演説するのです。その出来栄え如何によって承認されれば、予算がつくわけです。幸い予算をいただき最初に購入したのが、ロールシャッハ・テストの図版でした。全部で十二枚から成る図版と記録用紙を購入、少々予算が余りましたので、スタンダールの『恋愛論』を買いました。

そこで、これこれのものを買いますと小澤先生にご報告に伺ったのです。生真面目そのもののペチャ熊先生は、実に謹厳な面持ちで、「これは心理学の本でしょうか?」と申されました。即座に私は、「先生、冗談ではありません。スタンダールの『恋愛論』には、恋愛の結晶作用ということが論じられておりまして、それこそ心理学のテーマと言わずして何でありましょうか」と、ぬけぬけ申し上げげた。先生は丸い黒ぶちの眼鏡の奥で、目をしぼしぼなされて、一言「アアそうですね」と仰せくださった。本当にめいっぱい精一杯、気張って申し上げたのに対して大へん冷静で、しかも温かいお気持ちで応じて下さった。われわれ若者が何かひたむきに求めて活動している、まさに人間として成長しようと必死で背伸びしている——その事実に、先生は共感と理解と、そして洵におこがましい申しようではありますが、おそらくは応援の念で我々に接してくださったのであろうと、今しみじみ感銘致しております。

諸君は、「後生畏るべし」——あとに生まれてくる人々、つまり後生を畏れよ——という諺をご存じだと思います。先にお生まれになられた先生方は、多分、後から生まれてきた我々後生に対して、恐怖という意味の「おそれ」ではなくて、自ら高みをめざし憧れつつ努力する若者たちに対して、同じ人間としての敬意を払ってくださったのであろうと思います。正しく先生のお立場から、恐らくは祈りをこめて我々を見守ってくださったのだろうと思います。そういう次第で、我々はこの「深志」で伸び伸びと自分自身を、より高く・より善く・より大きく成長させることが出来たのだと、心からの感謝をこめて、今振り返っているのであります。

## 「より美しく・より偉大なるもの」を求めて

私たちの深志時代は、外的な客観条件はたいそう厳しい——というより、むしろ酷い状況にありました。今ではもはや死語になってしまいましたが、本当に「ひもじい」、文字通りハングリーな、たえず腹の減った状態にありました。想像もつかないかもしれませんが、一時は電気も配給制で、夜九時以降は停電となりました。ですから電灯がついている間に、一切のことをし終えねばならない。それだけに一期一会の思いで、必死で書物を読むということも出来たのかもしれません。それだけに、かえって真実なるもの、自らが本当に信じ得るもの、これを烈しく追究してやまなかった、——そういう時代であったと思います。しかし、そうした外的な窮迫や窮乏といった諸問題は、当時の私達にとりましては、別段たいしたことではありませんでした。

実は私にとって、先程もご紹介のありました広島原爆体験は、どうしようもなく重い体験でした。落ちてから三日後に広島に入りました私は、本当の修羅場を目のあたりにしているわけです。あのむごたらしさ、残酷さ、残虐さ、他ならぬ「人間」が自他ともに敢えてそれをしも為し得たこと、この驚きと惑乱はたいへんなものがございました。

のみならず、もっと許しがたかったのは、自分自身の内部に潜む「業」としかいいようのない強欲さかげんでした。親も妹も死に、同級生もほぼ全員爆死してしまったというのに、それにもかかわらず自分は一人だけ生きてしまった。しかも、盗み食いまでして生きてしまった(涙・涙)。焼け野原になった、灼熱の太陽光を避けようもない丸裸の広島市街の焼け跡で、一週間近く、それこそ死屍累々の最中を歩みながら、もはや誰の持ち物でもなくなってしまった保存食を目あてに、ここぞとおぼしき辺りを掘りかえしては、露命をつないだのであります

（涙・涙）。

爾来、自らどうにも許しがたい醜悪な、命のおぞましさというものに、とことん苛まれ続けた私は、却って人間における、とりわけ「清（すが）しいもの」・「高いもの」・「善なるもの」・「真実なるもの」、総じていえば人間存在における「より偉大なるもの」を、切実に求めてやまなかったように思います。何とか自らを励ましつつ「真（まこと）」を生きてゆくためなら、命を賭けても惜しくないと、固く信じて止まぬものを是が非でも掌中に掴みたい。総じてそういう真・善・美・聖なるものに強く惹かれ、激しく憧れたのであります（涙）。ごめんなさい。

## 人間における三つの層・次元・位相（プラトン）

さて、ここで「憧れ」について少し考えてみましょう。憧れ、「憧憬」というものには、「遥かなる高み」、「遥かなる偉大」への畏敬の念が込められております。憧憬には、並の人間では手も届かぬ遥かな高み、遥かな偉大さへの「畏敬」が、必然的に伴っているであろうと思います。いかに遥かであっても、なんとかして一歩でも二歩でも、いや半歩でも近づきたい、肉薄したいという純粋な意欲・意志、それに敢えて挑戦しようとする「勇気」と「努力」——これら三つのものが、一連の脈絡として全体の内的連関が成り立っているのではなかろうか。

つまり、憧憬とは「より高きもの」、「より偉大なるもの」への畏敬と勇気と努力がワンセットで、切っても切り離せぬ、人間の基本的能力ではありますまいか。憧れにしろ、畏れにしろ、勇気にしろ、これらはすべて、人間ならではの根本要件とでも呼ぶべきものです。それらはまさにhuman being、「人間存在」というものの証であるような、そういう根本機能なのです。

この「ヒューマン」ということ、形容詞が、実はたいへん効いてくる形容詞です。「ヒューマン」つまり人間らしいということ、というその意味合いは「人間ならではの」という特別の意味です。つまり、他の動物には見られない、人間固有の在り方・在りよう、——これが「人間存在」という言葉の本当の意味です。ところで、「在り方」、「在りよう」、人間として存在するっていうことは、ただオブジェとして、客観物としてなにもせずに静止しているはずはないのです。「人間」は絶えず活動しております。生きております。ですが、「人間ならではの在りよう」ということは、他の動物には見られない、人間固有の「生き方」という意味で、human beingと称するわけです。本当に人間ならではの「生き方の証」といったものが、すなわち「憧れ」、「畏れ」、「勇気」と「努力」といった根本能力ではないかと思われます。

それでは、人間ならではの根本能力は、一体どこからやってくるのでしょう。どこから由来するのでしょうか。その手がかりとして大事だと思いますのは、先程も「洞窟の比喩」で話しました古代ギリシャの哲学者プラトンの人間観です。

まず、彼のたいへん的を射た譬話（たとえ）をご紹介したいと思います。プラトンによりますと、人間の魂の中には、多くの頭をそなえた奇妙な一匹の動物が住んでいるというのです。これが第一番目です。第二番目に、その奇妙な動物を基礎としまして、たくましいライオンが現われてくるというのです。そして、第三番目に人間が現れてくる。こういう一種の「神話」（mythos：寓話）を説いております。ギリシヤ語でいうとミュートス（mythos）と言うわけですが、こういう話をしております。

つまり、プラトンは人間の魂に三つの層ないし、三つの次元と申しましょうか、要するに三区分して考えているわけです。第一の層は、欲望的・本能的な層です。つまり、食欲や性欲やその他もろもろの欲望から成り立っている部分です。先程、多くの頭をそなえた奇妙な動物というように呼びましたのが、第一の層です。それは、「本能的、欲望的」な人間の部分、層だと呼んでもよいでしょう。

しかし、ただ単に欲望をもつだけが人間ではない。人間の魂には、「気概」を感じる、あるいは奮い立つような、「雄々しい側面」がある。この雄々しい側面によって、人は時々激したり憤慨したり、あるいはまた、勇ましく戦ったりもする。これは第一の欲望的な人間の層と関係は持っているけれども、必ずしも同一に考えるわけにはいかない。もしも人間が飢えを満たすだけの存在ならば、本当にひもじく飢えた時には、投げ与えられた一片のパンにも飛びつくだろうとプラトンは言っております。しかし人間は、さながら犬に投げ与えるように投げられたパンは、これを拒否・拒絶する場合がある。

確かにそうです。他の弱いものが不当な扱いを受ける、虐待を受けるのを見て、自分の命の危険をもかえりみずに、残忍な行為をするものに反抗を試みることがある。人間が、単に自己の生命の維持だけを目的とするような、欲望的存在だけであるなら、気概のある行動をとることはないだろう。そう見ますと、人間の雄々しい心、気概に満ちた心は、単に欲望を満たすだけの心とは異なるものだと言わなきゃならない。そこにプラトンが、単なる欲望的部分とハッキリ区別した理由があるのです。

今述べました例からもお分かりいただけるように、このような気概というものが人間の心の中に起こり、義憤に燃えた魂が活動するのは、単に怒りを快しとするだけで起こるのではない。そうではなくて、人間の本当の愛情が踏みにじられたり、あるいは正しさが押し曲げられたり、自己の人間としての尊厳が無視されたりすることに対する、プロテストとして、「気概」というものが現れてくる。だとすれば、気概に満ちた魂は、さらにその上に、例えば正義を求め真理を愛する心というものを、自ずからに前提しているはずです。プラトンが第三番目に現われる「人間」と呼んだのは、まさにその部分、その層、ないし次元です。

プラトンが考えた「人間」というものの全体は、だいたい以上の構造を持っているのです。

これら三つの人間の魂の層は、それぞれに違った性格は持っているけれども、それらは単に、ばらばらに併存しているものではない。むしろ全体としてひとつの調和あるまとまりをもっている。こうプラトンは説いているわけです。

## 「〝にもかかわらず〟の存在」としての人間（ニーチェ）

以上のプラトンの説を踏まえた上で、私なりに言い直してみましょう。人間というものは、決して一枚岩の存在ではないのです。人間の「いのち」の全体は、三つの「次元」、ないし三つの「位相」から出来上がっている、と考えられましょう。正確な言い方をしますと、三つの次元を同時的に生きている――そういう存在だというのが正確かも知れません。

だからこそ、約百年も前の、ドイツのたいへん特異な思想家ニーチェは、いみじくも人間のことを、「にもかかわらずの存在」だと申しました。ドイツ語で「にもかかわらず」という副詞は、〝trotzdem〟と申しますが、それを名詞化して、人間は Wesen des Trotzdems だとニーチェは表現したのです。つまり人間の「いのち」の全体的特徴を表現しているのです。これを英語で言い換えれば human life でしょう。先程も申しました、人間ならではの、他の動物には見られない特異な生涯の在りようという意味で、〝human life〟なのです。この human life は決して一枚岩ではなく、三つの次元から成り立っている。

## 漢字文化圏（東洋）の人間観

ところで、ヨーロッパ語では、これら全部を「ライフ」と言ったり、「ヴィ」と呼んだり「レーベン」と名付けたりして、それぞれが一様に同じ言葉遣いで表現しております。ところが日本語ないし漢語はさすがに優れた文化でありまして、ちゃんとニュアンスを区別して、「いのち」の三つの違う位相、ないし次元を的確に表わす別々の言葉を開発しております。

まず、第一の層は日本語で、「生命の層」と言ったらいいかと思います。つまり、有機体ないし生命体としての次元です。生理学とか生物学が対象にするライフのあり方・次元です。これを普通「生命」と呼び慣わしていると思います。確かに人間は、生命体ではありますものの、決してそれだけの存在ではなく、「にもかかわらず」単なる生命体ではない「いのち」を生きています。

その二番目のライフの在りようとは、我々が普通、「生活」と呼んでいる層です。これをタイム・スパンで申しますと、「生涯」という言い方になるでしょう。要するに社会的な次元、あるいは文化的な次元、すなわち社会・文化的な次元でのライフも、人間は同時的に生きております。

しかし、それだけではなく第三番目に、日本語で申します「一生」という、大変厳しい響きをもったライフの次元を、我々一人一人が生きております。つまり、精神的、人格的な次元と言ったらよいでしょう。やや哲学的な用語を使えば、「実存」の次元と呼んだらいいでしょう。人格的・実存的な次元としての独自のライフをも、我々は生きております。

要するに人間は、これら全部で「丸ごと一つの生」を営んでいるのです。確かに生命体ではありますが、それ「にもかかわらず」単なる生命体ではなくして、社会的・文化的な活躍も行う、しかもさらに我々は自由な人格的主体として、独自の「自己自身の〝生〟」も営んでおります。

誰しも人は、自己に対するなんらかの自負や尊厳や責任を自覚しつつ生きている。時として、やけのやんぱち気味に「俺なんかどうなっても構わん」などと口走るかも知れませんが、本当に腹の底から「どうなっても構わん」と思っているなら、他人からいきなり「ペッ」と唾をひっかけられても、怒るはずはないのですが、我々はとたんに怒り心頭に発して、「この野郎」と怒鳴ります。それはあなた方が、現に「一生」としての次元を、自らの内で生きているからこそです。尊厳を傷つけられたり、愛情を踏みにじられたりする場合に、プラトンが言ったように、人間は本当に憤激し、義憤にかられる訳です。

## 身体の限界を〝突破〟した人類（ホモ・サピエンス）

人間はこういう三つの位相から成る「いのち」の全体を生きています。詳しく言い出しますときりがありませんが、長い長い人類進化のプロセスの中で、「人類」は、自らの身体的限界、有機体としての限界性を突破し乗り超えてきました。

「脱有機体化」というような言い方もありますが、人間は例のラマピテクスだとか、オーレオピテクスなどと呼ばれる時期から、しだいにピテカントロプス・ペキネンシスと呼ばれる段階を経て、今の現生人類「ホモ・サピエンス」へと、だんだん発展してきました。その間に、自分自身の身体の限界を突破してきました。

突破の典型的な事例が、道具であり、言語の発明であり、そして広い意味での道徳意識の自覚――こうしたものも、明らかに身体の限界を突破した人間の典型的な例証に外なりません。

道具というものを考えてみて下さい。ごく簡単な例で、ハンマーという道具を考えてみてください。ハンマーがなくて、我々が拳でたたいても、それほど強い力にはなりません。ゴリラなんかと比べたら、肉体的な破壊力はぜんぜん弱い。ところが、身体の従来の限界を見事に突破したのです。つまり、この手に棒を握って、その先端に例えば石や鉄片を結わえつけハンマーにして叩いてごらんなさい。ゴリラにも負けない、それよりもはるかに強く大きな力を人間は獲得できた――これが道具です。道具はまさに、人間が身体の限界を突破したときに出来上がったものです。「言葉」も同様です。広い意味での、いわゆる「道徳」もそうです。

また、人間として一番単純な特徴といえば、我々が「直立歩行」している姿勢です。人間は、直立歩行をノーマルな通常姿勢としている、唯一の動物であると言われます。この「直立歩行」、二本の足で立って歩くということ自体が、すでに、人間が身体の限界を突破している証拠です。つまり立つためには、直立するためには、我々は背中の脊椎骨を、まさに逆Sの字の形に矯正しなければならなかった。これだけでも、実はものすごく反自然的なことだったのです。

これは、人間が単なる有機体としての生活世界の限界を見事突破している一例にすぎませんが、先のプラトンが喝破したように、犬に投げ与えられると同じような仕方で投げられたパンは、どんなに腹が減っていても「人間」はこれを喰わない。このことも正に、人間が身体の限界を突破している最たる一例です。ただの動物であるならば living creature として、生きるべくして生まれた「生きもの」ですから、喰いついて当然なのです。にもかかわらず、人間はそういう与えられ方をした食物を断固として拒否する。これも、はっきりとした身体の限界の突破であります。

歴史上の有名な例ですと、ソクラテスというギリシャの哲人は、アテナイ裁判所の正当な根拠を欠いた誤審判決を受けたにもかかわらず、弟子どもが逃げ道を用意したにもかかわらず、敢えて彼は、人間にとって大切なことは、「ただ生きること」（to zēn）ではなく、「善く生きること」（to eu zēn）であると諭して、従容と自ら死を選びとりました。またキリストという存在を考えて下さい。自らの宗教的な信念の故に、彼は磔（はりつけ）の刑を甘受しました。これは、どういうことなのでしょうか。普通の生命体として、動物としての存在だけならば、そのようなことは起こり得ないはずです。人間に限って敢えて死を選ぶ、生きられるにもかかわらず敢えて死を選ぶことが人間には起こるのです。敢えて死を選ぶことによって、かえって自己の信念・理想に生きるといった精神的自由の次元を、われわれ人類に切り拓いてくれた偉大な人々が、キリストでありソクラテスなのである。そう考えてみますと、人間には、生きるために死ぬるという「逆説」、パラドックスが成り立つのであります。他の動物には、こういうパラドックスはありません。人間だけにパラドックスが成り立つわけです。そういう「真実（リアリティ）」を指して、ニーチェはいみじくも、人間のことを「にもかかわらずの存在」と呼んだのでした。人間は確かに動物に間違いない。にもかかわらず、単なる動物では決して行い得ない、人間ならではの道徳的理想の世界を持つことが出来る。こうした厳然たる人間存在の特質を鮮明に捉えて、「にもかかわらずの存在」と讃えたのがニーチェだったのです。

さあ、以上の考察をまとめますと、人間の「いのち」の中で最も大切な固有の部分、ないし特徴的位相、あるいは最高次元と言い得るのは、三番日に指摘した「一生」の次元、ないし位相にこそ、人間の「人間たる所以」の最たるものが宿る。簡単な言い方をすれば、第三の「一生」の次元にこそ、人間としての本来の意味での「尊厳」と呼んでよいものが存する。そういって間違いないと思います。

先程の「憧れ」や「畏敬」や「勇気」といった一連の人間固有の根本能力が、一体どこから由来するのか、どこに正当な根拠があるのか――という問いを発して、ここまで話を進めて参りました。人間ならではの根本力が由って来たる根源は、まさに第三の「一生」の次元、言葉を換えて言いますと――実存的・人格的な「いのち」の位相に存すると言ってよろしかろうと考えます。

## 「より偉大なるものへの努力」

さて、右のような哲学的・人間学的な詮索はともかくとして、本日の私の講演の題をめぐって、若干の解説を試みて締めくくりといたしたいと思います。

先程来、憧れと畏れと勇気、つまり、「より高いもの」・「より美しいもの」・「より善きもの」

への真摯な憧憬と畏敬と勇気――これら三つのものが、互いに一つの大きな「内的連関」を形造っていると、お話ししておきました。ここではただ次の一点を指摘するだけで十分であろうと思います。

すなわち、今申した憧憬と畏敬と勇気という三つのものが一体となって、実践的・具体的な行為となって発現されたとき、それは当然「努力」という集中的活動として現われてくるということです。言い換えますと、「憧れ」というものは、「畏敬」と「勇気」に裏付けられたときに、具体的には「努力」という、意図的で、しかも集中的で持続的な一貫した活動となって、活き活きと現われてくる、発現してくる――そう言えるのではないかと私は思うのです。

そこで、まだ十分に説明していないのが、ここに書いております「副題」の方です。"Striving for the ever-greater"――これは実は、カルル・ヤスパースというドイツの哲学者で、もともとは精神医学者でありましたが、やがて実存主義の哲学者として有名になった彼が、『大学の理念』という書物の中で使っていますドイツ語を、今回私が英訳しなおしたものを副題として敢えてここに拝借させて頂いた次第です。その原文のドイツ語を板書しておきましょう。Streben というドイツ語は努力すること。では一体どこへ向かってなのか。それは正に nach den Grösseren。つまり、この Grösseren の部分が比較級で且つ複数形ですから、「より大いなるもの」「より偉大なるもの」をめざしての、弛(たゆ)みなき「努力」ということになります。こういう諸種のことをヤスパースは、『大学の理念』の中で説いており、大学で学ぶ者は須く、このStreben nach den Grösserenを実践すべきだと、すべての大学人に対して、その基本的精神態度を要請しているわけです。ここにいう「より大いなるもの」、「より偉大なるもの」とは、別に言いかえることも可能であることは、先刻来の私の話で、すでに諸君には十分わかって下さっていると思います。

「より美しいもの」を目指しての努力であっても、「より善なるもの」をめざしての努力であっても、さらには「より真なるもの」「より真実なるもの」を目指しての努力でも、総てOKなのです。「より美しいもの」、「より善なるもの」、「より真なるもの」、さらに「より純粋なるもの」への憧れと畏れと勇気、すなわち一言で言えば、そういう人間独自の「より高い諸価値の実現」を目指して懸命に励む者同士が、お互いに真摯な努力を重ねながら集い合うところ、それこそが、学問的共同体としての真の「大学」の名にふさわしい場所なのだ。真正のacademic communityとしての名にふさわしい場所――そこではStreben nach den Grösserenを通じて互いに深い精神的・人格的繋りを享受し合う――そういう共同体、これこそが本来の大学の本質的在り様だ、とヤスパースは主張しているのです。

より美しいもの・より善なるもの・より真なるもの――総じて、「より偉大なるもの」への憧れと畏れに導かれながら、それへと接近すべく真摯な努力を積み重ねゆく者こそ、「大学人」

の名にふさわしい。そしてそのような努力を続けるもの同士の間に、初めて本当の意味でのコミュニケイション（Kommunikation）、つまり「人間ならでは」の真の「教養人」（die Gebildeten）同士としての「交わり」が成り立ってくる。そうした精神的「仲間同志」の間にこそ、本当の意味での「愛の闘い」「愛しながらの競い合い」liebender Kampf――英語に直訳すればLoving war――が自ずと成立してくる、とヤスパースは説いております。つまり、「より大いなるもの」を真剣に愛し求めてやまない努力を相互に続ける者の間にこそ、本当の意味での「愛するが故の競い合い」が現成（げんじょう）する。

そしてそこからは、さらに高い次元の、「より善なるもの」・「より真なるもの」・「より偉大なるもの」が、あらたに順次創出され来るであろう。概ねこのようなことが説かれているのです。

このような、ヤスパースの「愛する闘い」という言葉の意味は、大学の構成メンバーたる教官も学生も、すべての教養人そのものの間で日々に行じられるべき、「より大いなるものへの愛ゆえの競い合い」なのです。大学人同士による相互の精神的・人格的交流であると同時に、「より偉大なるもの」を各人それぞれ自由に目指す競い合いでもある。「より善美なるもの」を自由に愛求して止まない精神的競合でもある。それが彼の説く「愛の闘い」の全体像であります。

そうして見ますと、正に右のような二重の意味での「愛の競合」の場こそが、真の「大学」

と言い得るでしょう。

このように考えてまいりますと、私たちが学んだ「深志高」は、まさしく本質的な意味での大学の原点であったと思われてなりません。少なくとも我々の深志には、大学というものの精神的原質が脈々と流れていたように思われます。元初の本質――ドイツ語で Urwesen と呼ぶところのもの――が、確かに我々の深志には、活然として存在していたと申せましょう。

どうか、どうか現在の深志の皆さんお一人お一人が、志を高く掲げて、「より高いもの」に憧れ、「より清美なるもの」を敬愛し、「より善なるもの」への情熱と勇気と意欲を堅持しつつ、日々「活き活き」と生き、日々に「活き活き」と学んでいただきたい。

最後にそのことを、心に深く祈念しつつ、本日はこれにてお別れいたします。ご健闘下さい。ごきげんよう!!

［了］

（於　松本深志高校　平成六（一九九四）年秋）

# 二　尋ね来たった道、そして今思うこと
## ――人が「真に人間らしく生きて在る」(human being) とは？

### 〔I〕母校同窓会に招かれて

深志高等学校第四期卒業の岡田渥美でございます。

同窓生として、ここ「深志」に伺ってお話いたしますのは、これで三度目になります。第一回はもう十七年前になりましょうか、全校の生徒さんの前で「憧れ」という題目でお話いたしました。

第二回目は、われわれが卒業後五十周年を迎えるに当たり、いわば「成熟したトンボ」たる我々が、後輩の「ヤゴ諸君」に向かって、自分たちが学んだ同じ教室で、昭和一桁世代と

して何らか発言をというアイディアが自ずと生まれたのでした。当時、ちょうど週休二日制が施行されようとしていたタイミングで、時の校長先生があの――着任早々から便所の掃除を率先垂範なさって、全校生徒に「人間としての心意気」を触発・鼓舞してくださった――名高い藤本光世先生でした。その先生が早速に我々のアイディアを採用してくださり、「尚学塾」――「学び」を尚ぶ塾――と銘うって、第一回が行われたのでした。実はそれ以後も毎年、同じ試みが慣わしとなって続き、今年で九年目の由ですが、その第一回「尚学塾」において、われわれ同期生が二十人ほど講師になった中で、私も「鏡の好きなホモ・サピエンス」という標題のもと、副題には「人類の二重の危機に直面して」として、お話したのを覚えております。そして第三回目が、本日でございます。

## 松中・深志校に伝統の〝フラタニティ〟

このように顧みますと、それだけでも洵にご縁が深いのですが、三回とも、私は同じスタンス・同じ心情でお話しするという点では、基本的に全く変わりがございません。「同じ釜の飯を食った仲」というフレイズがございますが、まさにそうした仲としての「絆」、つまり相互の懐かしさと、親和と、信頼と、心安さ――そういったものの織りなす独特の豊かで純粋な連帯感、人間的つながりの切実な思いを伴った、「仲間」あるいは「同志」としての濃やかな自覚――これこそ、わが「深志」の誇るべき最も重要な精神的伝統ではございますまいか。

具体的な例で申しあげましょう。つい先だって、長年「深志」の先生をお勤めくださり、さらに同窓会の副会長としてご尽力くださいました、飯沼幸雄先輩から承ったお話です。「松中(旧制松本中学校)・深志」の創立百三十年を祝う式典会場を決定するに当たり、――多少手狭ではあっても、是非この同窓会館たる「教育会館」を式場にしようと決定なされた――その内側には、実に実に深い思いが籠もっていた由を承りました。私も記憶しておりますが、昭和三十二年のことだったと思います、例の穂高登山中に運悪く落雷のため、あたら青春真盛りの尊い命を落とされた十一名の同窓生がおられた。その方々の霊魂も、ぜひ御一緒に百三十周年を寿ぎ祝いたい、――そういう深く麗しい思いが根底にあった、という話を承りました。本当に胸に迫るものがあり、思わず電話口で涙したことでございました。こうした深甚なる心根というものが、長年変わらずに受け継がれている紛れもない生きた真実。これこそは、松中・深志の同窓意識の根基であり、最も誇るべき「見えざる至宝」と称して間違いないものと信じております。この貴重この上もない内的絆こそ、まさに百三十年を通じて世代から世代へと大事に受け継がれてきた、勝義の「伝統」に外ならないでありましょう。

もう一つ別の、最近の例を付け加えさせていただきます。昨年の夏のことでした。たまたま私が経験した事実でございます。現在は深志高校の多分三年生になる見ず知らずのお嬢さんから、皐月の空に翻るあの色鮮やかな屋上の鯉幟の写真が送られてまいりました。現在はなんと女性の応援団長が誕生しているようで、鯉幟の製作も管理も応援団が行っている由で吃驚(びっくり)いたしました。私どもが深志で学んでいた当時は、仲間が自然にワイワイ寄り集まって作成し、試行錯誤しながら凧糸を胴体部分に仕込んで、千切れないよう補強した思い出があります。そうしてやっと、風圧に耐えうるような鯉幟が出来上がり屋上に立てました。こうした確かな記憶がございますが、その事実をどこでか聞き知られたのでしょう。わざわざ彼女の父君——むろん同窓生ですが——を通じて写真を送って下すったのです。このときも私には、ジーンと胸に響くものがあって、有難く嬉しく感謝したことでございました。これもまた、同窓の誼(よしみ)・同窓の絆の証に外なりません。

　このように、大変味わいの深い心の絆で結ばれた間柄のことを、英語では〝フラタニティ〟(fraternity)と申します。例のフランス革命の有名な標語はリベルテ、エガリテ、フラテルニテの三つですが、その最後の言葉が英語ではフラタニティなのです。その最初の部分を英語で読みますと〝フレイター〟(frater)です。その意味が先程申しました「味わいの濃(こま)やかな絆」と直結するので、少々解説させていただきましょう。

　あのフラテルニテという語を日本語訳されたとき、残念ながら「博愛」などという大仰でボヤけた用語にされてしまいました。「自由・平等・博愛」と並べますといかにも味のうすい雑炊のような、あるいは気の抜けたビールのようなヨソヨソしい印象がぬぐいきれません。

実はフラタニティの語源で、元もとの〝フレイター〟とは、具体的イメージで申しますと「修道院」における修道士同士の緊密な結びつきのこと。つまり共通の信仰心・同じ信条・同じく真摯な生活態度・同質の価値意識といったものをお互いに保持し合っている「仲間」ないし「同志」の意味なのです。本当に深い味わいを持った、共通の「心の絆」をキープし合っている者達の間柄、これがフラタニティという言葉の本来の意味です。ですから、年末だけの「社会鍋」に多少のご芳志を寄付すれば事足れりといった、安っぽい軽薄な「博愛」概念とはずいぶん異なるものなのであります。

さて、わが松中・深志同窓会も正しく〝フラタニティ〟としての、味わい深い確かな実体・実質を具えた精神的共同体であると信じております。このことは最早や、多言を要すまでもないと存じます。そうしてみますと、その濃やかな信頼の「えにし」に列なる一員として、私は本日〝本気で〟私の魂の記憶とでもいうべきものを、真摯に申し上げる覚悟で、ここにまかり越した次第でございます。

## 薄命の佳人を看取る――原爆直後の「凍れる厳粛」

さてそうなりますと、私の人生の〝原点〟とでも申す外ない――あの一九四五年八月六日の広島原爆を巡る――あまりにも酷い痛酷の体験を語らないわけにはまいりますまい。これまで私は「修羅場」といったような極く抽象的な表現で言及したことはございますが、それ以上は一切語れずにまいりました。具体的内容について語ることはありませんでした。すべては己れの胸のうちに閉じたまま、墓の中へ持ち込むべしと思い定めておりました。父にも兄弟姉妹にも、そして親しい友人たちにも全く語ったことのない、私個人としては洵に忍び難い話になりますが、勇を鼓して敢えてお話することにいたします。それを回避するならば、私は己れの真実を語ることなく「後ろ向き」のままに己れの人生から逃亡することになりましょう。つまり己れという一個の人間の真実をお伝えできればと念じ、本日私は決心してこちらに伺った次第ですから。

当時私は、旧制広島高等師範学校の付属中学校一年生でございました。たぶん国立の中学校だったためと思いますが、学校当局独自の判断で農村への勤労動員という名目で、直線距離にしますと広島から八里ぐらい離れております、山一つ隔てた「原村」という処に、体の良い疎開をさせてもらっていたのだと思われます。そして被爆三日後に、担任の小谷等先生に命じられまして、ご一緒にトラックを乗り継ぎ乗り継ぎして、ともかくも広島駅にたどり着いたとき、本当に仰天いたしました。普段なら決して見えないはずの「似島」という稍大きな島が――ここは海軍の弾薬庫のあった比較的大きな瀬戸内の島ですが――何とその全容が周囲のキラキラ光る小波の輝きと共に、はっきりと直接に見通せたのです。気が動転したまま、屋根の吹き飛んだ駅舎を通り抜けて、まだそれこそ死屍累々という状態の只中を、市電の軌道を目安に何とか見当つけながら歩きました。周囲の建物が全滅しておりましたので、どこまで行っても同じ場所を徒らに歩いているような錯覚に陥りました。何度もそういう錯覚に戸惑いながら、「比治山橋(ひじやまばし)」を渡ったところで、学校に行かれる小谷先生とお別れした私は「御幸橋(みゆきばし)」――明治天皇が渡られた橋――まで、何とか辿りついたわけです。

私の住んでいた「平野町」と、すぐ隣り合わせの「南竹屋町」とのちょうど境目に、当時の文理科大学の陸上競技用の大トラックの角がございました。確か〝暁の超特急〟と謳(うた)われた吉岡選手のような方々が、日頃から練習で走っておられたのを記憶していますが、そこの隅あたりを目安に、何とか自宅を探し当てようと没頭していた最中のことでした。

自宅の玄関脇と思しきあたりに置かれていた二石入りという、大変大きな防火水槽の陰で、多分小用でもたしておられたのでしょうか、私の足音に気づいて急いで身繕いなさった女性(にょしょう)に出会ったのでした。その年若い女の方が、恥じらいのそぶりで立ち上がられたその一瞬、あれほど神々しいまでに輝く清(すが)しい肌というものを、私は初めて瞥見してしまった。十数メートルはあったでしょう、私は大声で「付属中学の一年生です。安心してください。見張っていますから」と声を掛けました。安堵なさったのでしょう、崩折れるようにしゃがみこまれた。その時すでに彼女の目は、ほとんど見えなかったようでありました……髪の毛も、そしてまた瞼も、さらには胸元の皮膚も焼け爛れ、「人間襤褸」という言葉がございますねえ……正にそうとしか言いようのない……悽愴なお姿だったのです。……それこそ思い出すのも辛い、……幾重にも裂けて無残に垂れ下がった皮膚、あまりの苛酷・あまりの無残さに、暫し私は口も利けずにおりましたが、それだけに黙りこくっているのは耐え難くもあった。そして、第一いかにもお苦しそうだったので、手持ちの水と握り飯を差し出したけれどお受け取りにならずに、ただ水が少々欲しいということを微かにおっしゃいました。しかもその際のおっしゃり方が、実にお行儀が良かった。水筒の水を何回にも分けて差し上げましたが、当時は重傷の方に給水は禁物という言い伝えがございましたので、それを心配しいしいしながら、苦しそうなのを見かねて何度かさし上げておりますうちに、やがて水筒は空っぽになりました。

付近に水道の蛇口も見当たらず、その女性は刻々に衰弱激しく、全く遮蔽物のない炎天下で、傷口から血粘とも脂肪とも体液ともわからぬ液体を流し続けながら……どのくらいの時間がたったか記憶も定かではありません。とにかく私がどうひたすら願い、どう頭を捻ってみても、なんのお役に立つことも出来ない。そういうギリギリの切迫状況下で、なんら為す術もないまま、唯ただ焦燥感・絶望感・虚無感に苛まれ続けた時々刻々でした。断腸の思いを抱えたまま、どうしても私はその場を離れることができずに時が流れました。やがて、……やがて断末魔の痙攣が断続的に起こり……水を飲ませて差し上げた折の姿勢のまま、半身を私の腕にあずけられたまま、やがて静かに臨終を迎えられました。……図らずも私は、このお名前も存じ上げない、たいそうお行儀の佳い若い女性の最期を、看取って差し上げたことになるわけです。……一方におけるあまりの痛々しさと、他方の神々しいまでのイメージは私の脳裡に刻まれ、心中に秘められ今日に至っているのであります。

と同時に、いまだ忘れ難いのは、あの時の周辺の焦げた匂いと綯交ぜになった、それこそ言うに言われぬ強烈な屍臭、この印象はいまだに感覚から消し去ることができずにおります。と申しますよりは、私にとってそれは決して忘れてはならない、忘るまじき「神聖」とも称すべき、〝凍れる厳粛〟そのもののイメージなのです。

ところが、戦後一時期の新聞紙上に写真入りで報道されたので、ご記憶の方々もいらっしゃるかと存じますが、広島市の或る銀行入口の御影石壁面に、被爆の瞬間そこに居た人の影だけが焼きつけられ、当のご本人は霧のように蒸発してしまったという原爆エピソード、これがまことしやかに喧伝されたことがありました。けれどもそれでは、人一人が亡くなってしまったということ――いや無理やったくに焼き殺されてしまったということ――の、〝実相〟は断じて正しく伝わらない。現実は決してそんな生易しい「きれいごと」ではないのです。私は、そのきれいごとならざる実相を、よくよく観ておりました。骨の髄まで、骨身に徹して識っておるつもりであります。先刻述べました、私の両の掌の間で息を引き取られた女性の実例からもお分かりのように、人一人が一挙に雲散霧消するなどということは、全く虚妄の絵空事にすぎず、仮にその場から移動されたにしても、そこには脂や血のりの、夥しいばかりの痕跡が染み付いて残されていたはずなのです。万事をこういった具合に、現実を糊塗し総て「きれいごと」で済ませてしまう裏には、一体どのような意図・どのような魂胆が隠されているのでしょうか。そのことについてはよく解りませんけれど、正直いって私は、そのような欺瞞には腸が煮え返るような怒りをおぼえております。瞋恚（しんい）に燃え盛っておりました。いまだにその時の戦慄がよぎるほど、痛烈に瞋恚の炎の記憶がよみがえってまいります。私には、右のような不測の事態が矢継ぎ早に起こったためか、何事につけても己れの肚（はら）にしっくり納まらないうちは、得心が行かない限り決して信用しないといった頑固な習性が、青春の最初期から自ずと形成されていったように思われます。

ところで、もう一度被爆直後の広島での話に戻りますが、先程述べましたとおりの酸鼻を極めた状況を、外ならぬ己れの眼で見たにもかかわらず、身内の母や妹の異変なぞ、その時には露ほども想像しなかったのであります。自分は、そして自分の身内は大丈夫だとの全く根拠のない、しかし揺ぎない思い込みがあったのです。本当に不思議なことではありますが、これはただ単に、ショックのあまり失念したといった類のことではございません。全く毛ほども疑うことはなかった！　この「己れ」の身勝手さ加減、身勝手千万な馬鹿さ加減・迂闊さ加減について、――今にして思えば――人間とはさほどに、元来が自己中心的な、能天気で狭隘至極な視野しか持ち得ない存在で、しかもその底には度し難いまでの「傲慢さ」が潜んでいるように思えてなりません。この点につきましては、現在の例の東京電力福島第一原発事故をめぐる諸問題と、根本的にはどこかで通底する問題とも言えようかと存じます。この不遜な問題は、後ほど改って、触れてみたいと思っております。

ところで先程述べたような仕儀で私は、あの――無慙この上ない深手にも拘らず、終の瞬間まで凛乎たる佇まいをくずされなかった――女性のお通夜を、図らずも自然に勤めさせて頂きました。翌早朝に見廻りに来た警防団の人々に遺体をお預けする際、あまりの悲痛をこらえかねた私は、思わず着ておりました国防色の――今風にいえばカーキ色の――上着を脱いで着せ掛けて差し上げたことでした。

それから、心身とも困憊した私は東へ向かうトラックを何台も乗り継いで、二日がかりで先程申しました原村にあります合宿所――神光神社という小さな社――に戻りました。それから間もなく八月十五日の朝を迎え、クラスメイトと一緒に天皇のあの終戦の詔勅なるものに耳を傾けました。雑音が多くて内容は十分わかりませんでしたが、当時はそれこそバリバリの軍国少年で典型的な「良き少国民」でありましたから、悔し涙を大いに流した記憶があります。

そして十八日になって農村動員も解除となりまして、広島へ――今度は汽車で――帰りまして、父の勤め先の旧制広島高等学校へ向かいました。ようやく行き着きまして、父の同僚の先生の奥様から、母と妹の遺体が出たことを告げられました。そしてその足で、先程申した御幸橋のたもとにある警察の派出所に同行していただきました。……「罹災証明書」の交付を受けて独りになった時どうにも涙が止まらなくなり、道路の側溝に鈍く光るガソリンの虹色の反射光を見つめたまま、立ち上がることもできずに長時間、脱力状態のまま蹲(うずく)まっていた記憶がございます。

そうこうして何日か瓦礫の中で過ごすうちに、自然に寄り集まってきた大人の人々と一緒に、当時それぞれの家庭の保存食として土中に埋められていた食物を掘り起こして、辛くも露命を繋いだことでした。そうこうしているうちに、いろいろな情報が耳に入ってまいりました。

## 家族の安否

その中に、亡くなった母と妹と覚しき人物の噂も混じっていました。当時の私には自慢の美しい母親でした。日ごろ童謡を好んで唄ってくれ、私の幼な心に「詞(ことば)」と「情操」のセンスを養ってくれたように思われます。想い出は数々ですが、一つだけお話いたしましょう。学齢期には少々間がある或る夏の夕、やや遠出して――当時在住の長野市の――城山公園で遊んでいると、折悪しく豪雨に見舞われました。その折に、大ぶりの蛇の目傘で迎えに来てくれた、母の背に負われて帰る途すがら、向かいの朝日山に幾条もの稲妻が走り、雷鳴が轟く最中、私は母の背の温りと安らぎを満喫していた情景を、今も実に鮮やかに想い出すのであります。また、環という名の末妹も、母と同時に原爆直撃で即死と思われますが、享年は五歳半ば、翌春に小学入学のはずでした。容貌は浅黒いながら、目鼻立ちのクッキリと日本人離れした、可愛い幼女でした。我慢強かった母の血を享け継いでか、洵にもの閑かで大人しい女児でした。今でも私は、よく似た女児を偶さか見かけると、ハッと胸衝かれる想いが仲々に収まりかねる次第です。

然しながら、実は私の内面には——別の意味で——もっと重く、かつ長年に亙って〝収まり〟のつけようもない、ある種の苦衷が蟠り続けたのです。

たった四カ月前まで、二年間お互い席を並べておりました千田町国民学校——当時は小学校といわずに国民学校と申しました——の同級生たちのほぼ全員が亡くなっていたことも判明いたしました。無論、母と妹の被爆死は身を千切られるほどに辛く悲しいことでありました。けれども、かつての同級生たちの死は私にとって、実に重い問題でございました。まだ幼な顔を幾分宿す年頃で、自らの人生を夢見ることすら知らない「あいつら」が、非情・無残にも焼き殺されてしまった。それに引替え、この俺だけが何故か、何故か生き残ってしまった申し訳なさ、相済まなさに苛（さいな）まれ続けました。その一種の罪障感と申しましょうか、罪障意識というものから脱却するまでに、じっさい私はほぼ十八年間かかりました。正直申して三十歳ぐらいまで、懊悩し続けたのです。どうやって「己（おの）が身に始末をつけるべきか」を、絶えず模索する暗い日々でございました。

## 小児ゆえの大奇蹟――直撃を免れた末弟

それというのも、実は私の身にはどうしても、死ぬに死ねない事情が出来（しゅったい）していたからです。どれほど「自死」を烈しく望んだにしましても、それが許される客観的・現実的事情になかったからです。

　私の九歳違いの弟が、何と原爆の直撃下でも奇跡的に助かっておりまして、いったんは亡くなったものと思い込んでいた私の眼の前に現れ出たからであります。父が救出され、とりあえず避難しておりました能美島（のうみじま）という島に、やがて私も渡ったところ、何と、そこに二歳三カ月たらずだった弟が一緒に居（お）ったのであります。その限り、思いがけぬ再会に狂喜したのは申すまでもありません。しかし夜になって一緒に就寝した折に、「お兄ちゃん　おっぱいない（の?）」……こう問いかけられたのです。私は本当に本当に「参り」ました。困惑・混乱・惑乱――脳髄のてっぺんから脊椎骨まで打ち貫かれたような、そんな衝撃で絶句したまま、「何としてでもこの子の命は守らねば」と即座に決意いたしました。否も応もあらばこそ、目の前にいる命の塊みたいな存在――これを亡き母から預った長男としては丸ごと抱え込むしかなかったわけであります。〝それっきゃない〟という言い方がありますが、主観的には正にそういう絶対の状況でした。その瞬間から、私のいうなれば〝子育て〟がスタートしたのでございます。――無論、中途半端なことですけれども、――中途半端なりの「育児」に〝かまけ〟ざるを得なかったわけです。当時は――ご存知の方も多かろうと存じますが――文字通り食糧事情が窮迫していて、重湯やお粥をととのえるだけでも大仕事、というよりは不可能に近い有様でした。何とか周囲の方々の善意とご好意により幼い命をつなぎとめることができたのは、まことにもって「有難き」幸せと申す外ありません。私は、旧制松本中学校の一年生として広島の付属中学から転入学したわけですが、転校したまま休学して育児と取り組んだのでした。しかし私にとって、それは別段特別なことでも何でもありませんでした。そうする以外にない場合、人はたとえ十二歳であってても極くごく自然の流れで、結構必要な事柄は最小限であってても、何とかやってのけるものなのであります。今にして思えば、幼少期から叩き込まれた通り「為せば成る」なのでありましょう。

その折の曲りなりの経験が、ずっと後になって私が「教育学」という如き学問を――ある意味で洵に「しんどい」限りの――〝因果な学問〟を専攻する羽目に至った識閾下の淵源だったのかも知れません。それはともかくとして、以上のような事情のもと私は、当初から心を領しておりました「自死」の願望を、当分は棚上げにしても、幼い命からの退っ引きならぬ呼びかけに「相応ぜ」ざるをえないという、完全に受動的な形で少なくも七カ月間は、結果として「生き延び」たわけであります。

顧てみますと、私は長野師範の付属小学校に入った当時から、学年末になりますと必ずいただく通信簿に毎回、常に「引っ込み思案」と書かれておりました。どうやら私は生来、受身型の人間だったのかもしれません。

いずれにせよ、兎にも角にも私は「死にそびれ」たまま、生き延びてしまったのです。このことの、誰にも明かしえないジレンマ・罪障意識というものは、なかなかに払拭できるものではありませんでした。然しそれだけに、ともあれ生き延びてしまった以上、生きて在る限りは、あの突如として非業の死を強いられた紅顔の学友たちに対して、しかも文字通り「人間襤褸」と化して他界された件の年若い女性と同じように、焼け爛れて息絶えたにちがいない同級生一人々々に対して、是非とも恥ずかしくないような、つまり何としても〝申し訳が立つ〟ような生き方を志さなければと、必死に思い定めて参ったつもりであります。

思えば当時十二歳だった私には少々荷の重い、人間の「生死」をめぐる根本問題が、同時に幾重にも振りかかってきたということなのかも知れません。先刻「凍れる厳粛」と名づけた、全くの絶望のうちに若き女性を看取った体験を始め、三十三歳の母と学齢期寸前の妹を、一挙に失ってしまったこと、さらに国民学校で二年間席を並べた仲間たち大方の爆死、そして頑是ない幼い命を突如「もろに預かって」しまった責任、かてて加えて私自身も身体の異常に怯えるといった、諸々の「生き死に」にかかわる諸問題に直面し、私の内面には名状し難い動揺・混乱が生じたのだと思います。

しかし他人様には、決してそれを漏らすことは致しませんでした。内面の苦しみを気振りにも覚らせまいと、絶えず緊張していたように思います。ちょうど深志高校に在学中も、まさにそうした心胸にありましたため、せっかく親しくして下さった多くの友人方にも、心を全面的に開いて交わることができなかった——そのことを、今あらためて告白せずにはおれません。と申しますのも、内心の苦悩を些かでも吐露した途端に、己れの一切がたちまち瓦解してしまうことが、自分には一番よくわかっていたからに外なりません。今にして思えば、まことにお恥ずかしく情けない限りであります。一個の人間として、まことにもって誠実を欠いておりましたこと、偏に申し訳ない限りに存じております。この場をお借りして、ひたすらお詫びいたしますと共に、御無礼の段々なにとぞご寛恕くださいますよう、伏してお願い申し上げる次第でございます。

## 〔Ⅱ〕精神的恩遇を忝む事ども

さて、敗戦から十年ぐらいたった後に話の重点を移しましょう。当時二十二歳ぐらいでしたでしょうか、私が詠みました拙い一首をご披露いたします。

沈黙の　慟哭久し　原爆忌
　狂ひて断たな　魂極る生命

その頃詠んだ腰折れでございます。

### 「捨賎履信」――多賀谷賢遵師のお導き

そして同じ頃、京都大学の三年生でございましたが、ご縁がありまして西本願寺の多賀谷賢遵師というお坊様と親しくさせていただきました。ある時、このお坊様が、「君はどうやら過去ばかり向いているようだ。しかしこれからは、現在生きている人間を大事にしたらどうか。そのために」とおっしゃって、次にご紹介します言葉を贈ってくださいました。「捨賎履信」、漢音で読みますと〝しゃせん・りしん〟でありますが、訓よみにすると「賎を捨て、信を履く」。つまり〝賎しきもの〟は身辺から遠ざけ、常に〝信〟を一身に帯して生きよ、という訓えでございます。ところで、この「信」という字は〝まこと〟と読むのであって、よく政治家などが〝しんなくば立たず〟ということを申しますが、その場合の〝しん〟とは他者からの信頼・信頼源という意味ですが、このお坊様がおっしゃるには、そういう信頼が生まれ出る一番深い根にあるものは、実は自分自身の「まことの心」なんだ、と。「まことの心」を日常生活で、いつも身に着けて事に当たりなさい。「履く」というのは、そういう意味です。靴を履くように、いつも信を身に帯して行為・行動するよう心掛けなさい――概ね、このようにおっしゃって、「人間」としての行動原理といいましょうか、人間の真実を私にお教え下さり、「君にとっては対句の前半部は言わずもがなだろうが、〝信を履く〟という後半のほうは、これから指針としたらどうか」と忠告してくださったのです。

このとき以来、私の内生活は、どうやら徐々に変わり始めたんではなかろうかと、感じております。このご忠告の意味内容を自分なりに解釈いたしますと、人間とはまさに文字通り「人と人との間」に生きる人間的存在で、人と人との間柄、すなわち〝係わり合い〟の中で生きている存在、その関係性においてこそ生きることの出来る存在。――これはハイデッガー流にいえば「関係-内-存在」(In-der Verhältnissen-Sein)という概念に当たるでしょう。――そういう人間的な存在が「人間」だとしますと、人はお互いに言葉を交わし、心を通わせ合い、互いに呼びかけて、それに相応ずる〝呼応〟の関係において、初めて「人間」として生きてある

（在る）といえるのだといってよいのではなかろうか。こういう相互応答性、お互いの呼応関係にこそ、人間の本質があるはずといえましょう。してみれば、人間を単なる客体的存在としてではなしに、もっと相互に実践的・倫理的な活きた観点からは、正にこの多賀谷師が教えてくださったように、「信（まこと）」こそが人間存在にとって、肝心要（かなめ）の要訣と呼ぶべきではなかろうか。

このように私は、このお坊様の言葉を受け止めさせていただきました。その結果として、それまで深く人と交わることを避けてきた自分から徐々に脱却して、現実の日常生活において周囲にいてくださる方々に対して、私は信（まこと）をもって相対し、心を開いて相語り相交わることに努めるようになってまいりました。もちろん、少しずつにではありますけれども。先程ふれました心の内なる「凍れる厳粛」の呪縛から、徐々に己れを解き放つことが出来るようになってゆく最初のきっかけも、正に多賀谷師のご忠告の賜であったと、今も深い感謝とともに実感しておる次第であります。

### 九鬼倫理との出合い――『偶然性の問題』

やがて大学院のドクターコースに入ってから、年齢で言えば三十歳近くになってのことになりますが、京都大学の大先輩で『粋の構造』というユニークな著作で有名な九鬼周造先生という哲学者――この方は戦前に文部省から派遣されてドイツで研究しておられた最中に、先程名前を出したハイデッガーという哲学者に多大な影響を与えた、といわれるスケールの大きな奇才と申しあげてよろしいかと思いますが――この九鬼先生の、博士論文であります『偶然性の問題』と題された著作に出会いました。その一番最後の結びに置かれた、次のような一種の発句とも紛うような短い言葉が、私の魂を捉えて離しませんでした。それは、「曾ふて空しふ過ぐる勿れ」という端的な言葉であります。その峻厳な響きが心に沁みたのでした。

そこには、九鬼倫理学の核心ともいうべきものが凝縮されていると思っております。この書の白眉と申してよい本箴言（しんげん）について考えてみますと――人は確かに「偶然に」出遭う。だが、その「出遇い」ないし邂逅を、単なる空しい偶然の出遭いのまま、徒に時の過ぐるままに任せて置いてはならない。その最初の「偶然事」としての出来事を、お互いに「必然事」へと、必然の人格的結びつきへと高め充実・向上させる真摯な努力を続ける時、人は初めて「人間ならでは」の在りようを会得するに違いない――およそ、このような趣旨を示唆しておられるのではあるまいかと私は考えました。

人が真正の人、本ものの人、「人間ならではの人間」へと生成（becoming）してゆく要諦は、〝実存〟としての人格と人格との揺るぎない結びつきであって、その結びつきが正に必然事であるかの如き「絶対の絆」へと高まりゆき、これが決定的決め手になる。そしてそのためには、本来的に「有限な」存在である人間が、お互いに自らの有限性・卑小性、そして孤独性といったものを徹底的に自覚した上で、なお互いに人格的な相互応答を繰り返し重ねる地道な努力を通じて、初めて「必然的な出会い」としての互いの「人格陶冶（とうや）」が確実に成立してくるのではないか。本当にお互い同士が十全な責任を担い合えるような、そのような必然の絆・必然事としての人格的結びつきが、ようやく形成され来たるのであり、これこそ実に「人倫」の最も根本的な要訣というべきものではなかろうか、概ねこのような、自分なりの思索をめぐらせておりました。

## ドイツ語〝Bildung〟の訳語「陶冶」について

ところで、ここにいう「陶冶（とうや）」という言葉ないし概念について一言しておきたいと思います。何故なら、これは極めて大事な言葉だと思うのですが、残念ながら今日では、教育哲学会においてさえ、大変な誤解をしている連中が少なからず居るからです。途方もない誤解が出来（しゅったい）しているのです。「陶」の字は陶器の陶なので、（既に出来上がった）陶器のイメージを安直に想像した上で、「陶冶」とは固い〝鋳型〟にはめ込むことであるかの如き酷い誤解釈をする向きが多分にあるのです。然しこれは、全くの「誤謬」であります。

この言葉の原語はドイツ語の〝Bildung〟ですが、例えばゲーテとかシラーとかフンボルトといった優れたヒューマニストたちが高唱した〝ビルドゥンク〟の概念を、「陶冶」という漢語で絶妙に訳出した先人たちは、実に漢学の素養に秀でた立派な教養人だったに違いないと思います。

それでは、本来の意味での「陶冶」とは何か？ 陶という字を訓で読みますと、「よなぐ」と申します。この「よなぐ」とは、陶器を作る陶工さんがまずは山へ行って土を採取して参りますが、そのままずぐ陶器が焼けるわけではなく、一生懸命に水を加えて繰り返し幾度も捏ねます。この捏ね廻し、徹底的に搗きまくる作業が、「陶ぐ」であります。つまり、佳い陶器を作り出すための純良な「陶土」を〝精錬〟して取り出してくる作業のことなのです。だから、鋳型にはめ込んで硬く焼き固めるなぞという意味合いとは、「真反対」の事柄なのであります。

次いで「冶」という字は、訓で読めば「いる」です。これは鍛冶屋さんが鉱石を、火に投じて白熱の温度にまで加熱して、その熔けた塊りの中から、純粋な金属のエッセンスを吹き分けることです。すなわち、メタルに関して純粋な本質的部分を「抽き出し」てくる作業を意味するのです。してみれば、土と金属の違いがあっても、「陶」と「冶」のいずれの文字も、共に内側に潜む純粋な本質を抽出する活動を意味するものに違いありません。

それゆえ、人間に関して「陶冶」という言葉を用いる場合は、人間の内側に宿されている最も人間特有の本質、あるいは当該人物ならではの最も優れた「人間性」を、真摯に鍛え磨き出す精神活動を意味するのであって、決して外側から一定の硬い鋳型を無理やり填め込むことなどではない。むしろ、全く対蹠的な事柄であり、むしろ正反対の意味なのであります。このような基本的知識は、まともな教育学徒にとっては正に「常識」であるはずです。ところが昨今の不勉強な研究者は、臆面もなく無根拠も甚だしい誤った自説を昂然と開陳して憚らない。謙虚に諸橋徹次先生の『大漢和辞典』か、明治期に出版された『教育学辞典』を一読さえすれば、自らの軽率極まりない誤ちを直ちに覚ることでしょう。

　全く同様の為体は、何も教育学の分野のみに限らず、総じて現代の各種「専門家」集団においても、屡々認められる風潮です。一例を挙げれば、先般の福島での原発事故をめぐって、原子力関係の科学・技術に携わる専門家たちの言辞にも、――作意・不作意は不明ながら――上記と同種の詐術的な妄語・虚言が、惧れ気も恥ずかし気もなく公にされているのが残念でなりません。

### 福島原発事故をめぐり故意に曲解された寺田寅彦

　今年（二〇一一年）三月十一日の原発事故が起こった直後から、多くの「科学者」と称する連中が挙って、かの寺田寅彦の「浅間山噴火と国防」に関するエッセイを引き合いにだして臆面もなく、「〝正しく怖れることが大切だ〟と、かの寺田博士もおっしゃっていた」と吹聴したのでした。つまり裏を返せば、科学的データによって裏付けられないような事象は、敢えて

「怖れる」には当たらない、——これが所謂サイエンティストたちの発言に共通する主旨でした。これは、「寺田寅彦」という〝虎の威〟を借りて、本来の博士の論調とは全く正反対の、〝牽強附会〟な言辞を弄しているのに、正直いって唖然としました。かてて加えて、あの大惨事を招いた原発事故の直後にも拘らず、「人類の英知を結集した原発なのだから、一切心配は要らない」と強弁して憚らなかったのです。——「人類の英知」ですって?‼ いったい何を以って〝英知(wisdom, sapientia)〟なぞと、だいそれた言辞を弄するのだろうか? ——それは、現代の「先端科学技術」一般が内包する〝傲慢(superbia：暴慢・驕慢)〟以外の何ものでもありますまい。

「即天去私」を説いた夏目漱石の高弟で、見識高い物理学者とも謳われた寺田寅彦が、そのような単純思想の持ち主であるはずはないし、実際私自身がかつて読んだ当時の——六十数年も以前ではあるが——記憶をたどっても、どうやら故意による誤謬のように思われたので、あらためて原本をひもといて確かめました。案の定、寺田博士が書いておられるのは、こういうことでした。人間というものは天災が起こった時、いかに早々とその災禍の持つ意味を忘れ去ってしまうものかという嘆きの言葉がまずあって、その上で、なればこそ所謂「われわれの文明」——科学技術——を過大に「買いかぶって、自然の威力に逆行する大それた企て」を厳しく戒め、自然の絶大な偉力に対しては「正当にこわがらなければならない」と警告を発し、加えて「自然への宗教的畏怖の念」も強調しておられるのです。しかも博士は、そのさい〝恐〟や〝怖〟といった漢字ではなく、敢えて「こわがる」と平仮名を使って表現しておられるのです。

　では、ここにいう「正当にこわがる」とは、一体どういうことなのか。——それは、人知・人力を遥かに超える自然の絶対的威力に対して、然るべく正当に〝畏怖・畏敬〟の念を以って相対することが、どれほど有限・卑小の人間にとって大切かを説いておられるのです。しかも本当に「〝まっとう〟に畏れる」ことは、実は洵（まこと）に難しいことなのである——このことを重々自覚し、深く肝に銘じておき給えという忠言だったのです。換言すれば、——個々人の身勝手な臆測に捉われずに、このエッセー全体を通じて流れる著者本人の、一貫した趣意を看取するなら——それは要するに、近・現代人における〝造化（ぞうか）〟への「畏敬」の喪失を、高雅な文人＝物理学者として大いに危惧・慨歎しておられる文章と解すべきでなければなりません。ひょっとすると、さらになにがしか「厭戦」の気持ちもそこには潜んでいるかも知れません。ともあれ真のサイエンティストならば、当該の文脈全体の真意を歪曲せぬよう、真摯に受けとめる必要があるのではありますまいか。

## 〝ただ生きることでなく、善く生きること〟――ソクラテスの遺言

　ところで、以上に批判的視点から考察してきたのは外でもありません。総じてそれは、近・現代を主導してきた、「効率」一辺倒の所謂〝科学主義〟的な――かのM・アーノルド流にいえば、現代版「ヘブライズム」に基く――狭隘・皮相な「ものの観方・捉え方」と、さらに背後に伏在する〝実証主義〟（Positivism）の世界観に厳しく対抗するためなのであります。ここにいう世界観としての「実証主義」とは、極く端的にいうなら、具体的に目にみえるものだけを〝リアリティ〟と見做し、したがって計測可能で、数値化可能なものだけを「実在」と想定する、単純・粗雑極まる観方・考え方のことであり、総じて単眼的・視野狭窄的な価値意識や人間観をも含み謂うのであります。

　このような現代に特徴的な「ものの捉え方・考え方」は、人類〝進歩〟の観念と結びついて、今や「時代精神」（Zeitgeist）として人間社会のあらゆる分野（政治・行政・経済・産業・教育・医療・福祉・司法・科学・文学・哲学など）に深く浸透・蔓延しています。然しそれは、果して「人間存在」全体（human being as a-whole）にとって、本当に「進歩」と言い得るのでしょうか。それをしも無反省に金科玉条のごとく受容することは、根本的に省れば、人類にとって実は重大極まりない誤謬を犯す所以ではないでしょうか。

　そこで、上記の「実証主義」の世界観に立脚する〝科学主義〟特有の人間理解に、真っ向か

ら対立する「反定立」（Anti-these）として、人類精神史上きわめて意義深い故事について、次に是非ご紹介したいと存じます。それは、遠く古代ギリシアはアテナイで自らの信念に忠実に生き、かつまた、「人間にとって大切なのは〝ただ生きること〟（to zēn）ではなく、〝善く生きること〟（to eu zēn）なのだ！」と言い遺して、誤審判決にも拘わらず従容と自ら毒死した、あの哲人ソクラテスにまつわる故事であります。

彼は日頃からアテナイの若者たちに向かって、――皆さん既によく御存知の通り――〝汝自身を知れ〟（Gnothi se auton：己れ自身を知れ）という言葉を引き合いに出しては、「人間」として人格的自覚が如何に大切かを力説したのでした。それは確かな事実に違いありません。けれども現在なお、正しく伝えられていない半面の事実が、そこに隠されていることに注意しておかねばなりません。

ソクラテス（BC四六九？―三九九）が生きていた古代ギリシアのデルフォイの街に、アポロンを祀ってある神殿があり、そこには先に引いた「己れ自身を知れ」という扁額が掲げられておりました。しかし同処には「対句」（pair）として、もう一つ別の言葉が、左右対照で並び掲げられていたのであります。ところが近・現代人は、その一方のみを取り上げ強調したため、全く誤った解釈に陥ってしまいました。というのも、本来は「対句」であったものの一方にだけ注目し、他方を無視し切り捨ててしまえば、自ずと本来的意味も自動的に変化・変質してしまうのは当然だからです。その結果として、原義からは大きく歪んでしまった意味合いを、我々は正しい解釈とばかりに思い込んで参りました。すなわち、「万物の霊長」としての人間（ホモ・サピエンス）は、自らの優れた能力を自覚したうえ、出来る限りそれを促進・助長すべきである、といった鼓舞激励の言葉として理解したまま今日に至っています。しかし、それは元来「対句」であったものの一方のみを取り上げ、自分に都合のよい解釈を導き出したに過ぎないのであって、学問的には洵にアン・フェアな誤った解釈に陥っているのです。では元来、他方の扁額に記されてあった言葉は何であったのか。"Mēden agan"がそれで、英語に訳せば"Not too much"で、ごく普通に直訳すれば「あまり多くなくネ」というほどの意味です。つまり対句としては、「程ほどに」とか「決して度を過ごすなかれ」といった、「戒め」の意味が籠められた〝但し書き〟的な言葉なのであります。

話がここまで来ますと、賢明な皆様方には既に了解して頂けたと存じます。——「己れ自身を知れ」とは、必ずしも自らの潜在的能力を無際限に開発せよと、全面的に肯定・奨誘しているのではなく、むしろ左右「対句」の全体から見れば、「ただし身の程を弁（わきま）えよ」と訳出すべきでありましょう。つまり、元来の対句の意味は、本来〝有限〟である人間存在であることを謙虚に自覚すべし、という「自覚・自戒」の教訓だったのです。

してみれば、私が先程らい二千四百年も前の古代ギリシアの故事に関説してきた基本的理由も、自ずと明らかでしょう。すなわち、異常なまでに「先端科学技術」の進展を追及してきた、われわれ現代人の片寄った人間観・人生観に対して、本質的な反省・批判を迫らずには措かない重要な契機が、夙に古代の故事の内に確実に潜在しているからに外なりません。それの実質的顕在化こそ、今や我々にとって喫緊の課題でなければなりますまい。

というのも、人類（ホモ・サピエンス）は、今まさに危急存亡の岐路に立っているといって過言でないからです。外的な地球環境や身体上の「破局」（Geo-catastrophe）のみならず、さらに実存としての内的な「魂ないし精神の破局」（Psycho-catastrophe）という二重の危機に、同時的に直面しているのが現代人の実情なのです。なればこそ、神ならぬ身の我々は、生・老・病・死をはじめ諸々の限界を〝受忍〟しつつ生きている「己れ自身」の境位・境涯について、あらためて冷静かつ真摯に見詰め直すべき「秋（とき）：最後のチャンス」ではないでしょうか。

以上のような、人間の本来的「有限性」の徹底的再自覚化を、今こそ日常生活の中で意図的に行じない限り、われわれ「ホモ・サピエンス（叡智の主体）」としての本質そのものが、正に〝メルト・ダウン〟（熔融）してしまうのではないか。私は本当に、そうした深刻な危惧の念を禁じえませんので、敢えてここに忌憚なく〝ホンネ〟を吐露した次第であります。

話がやや逸（そ）れたかも知れませんが、ここに至って上述の九鬼周造先生の倫理学的箴言が、外ならぬ現代の危機的状況下においてこそ、実は〝ヴァイタルな〟――死活に関わるほど枢要な――意義をもつ実践的金言として、更めて活き活きと甦り来るのに気付くのです。人と人とが本当に「交わる（communicate する）ということ、魂と塊が、人格と人格が真に結びつくこと」――これが正に偶然の出会いを必然事へと高めることに外ならず、そのためにはまず以って、相互に己れの卑小性・有限性について真摯な自覚に徹することが大前提なのでありま す。それがキチンと出来る者同士の間で、初めて勝義の「人間」としての関わり合いが、すなわち人格的な結びつき・実存的な「絆」が成就され得る――これこそ、先の九鬼先生の「曾ふて空しふ過ぐる勿れ」という端的な最終句の真義でありましょう。

## 芭蕉『野ざらし紀行』――人間における「有限性」の自覚化

実は私が、九鬼先生に私淑したのは、――先述のとおり――半世紀も以前のことではありますが、その当時もう一つ別の、自分の「魂」にとって忘れることの出来ない内的体験がございました。それは、例の俳聖とも称せられる芭蕉の紀行文の一つであります。『野ざらし紀行』ですが、その比較的冒頭に近い部分で、富士川に差しかかった時点で認められた箇所に、強く惹きつけられたのです。その一件について次にお話申したいと思います。

芭蕉はその時、富士川の辺で三歳ばかりの捨て子に出会うのです。大変哀れに泣いている小児を見かけて芭蕉は〝この児はもう今夜死ぬか、明日の朝死ぬか〟というような切迫した憂いを抱きながら、袂（たもと）に持っていた食べ物――「喰物（くいもの）」という表現ですが――を取り出して、その幼な児に与えて通りすぎていきます。その折に彼が詠んだ一句が、次の通りであります。

〝猿を聞く人　捨て子に　秋の風いかに〟

ここにいう〝猿を聞く人〟とはどういう意味かと申しますと、これには昔からの故事が背景にございます。産んだばかりの子猿を亡くした母親猿が、悲嘆のあまり泣き叫んだ末に死んでしまった跡を見ると、それこそ文字通り〝断腸〟していた――「腸（はらわた）」が全部千切れていた――それほど悲しみが深かったという故事に因んで、〝猿を聞く人〟と芭蕉は詠んでいるのです。実際に声をかけたのは全く見知らぬ捨て子でしたが、その哀れを見かねた芭蕉が件（くだん）の故事に準（なぞら）えて、〝猿を聞く人　捨て子に　秋の風いかに〟との一句をものしたのでした。そして、続いて次のように締めくくっております。

〝唯（ただ）これ天にして　汝が性（さが）の　つたなさをな（哭）け〟と。

このような一見すげなく突き放すかの言葉遣いでありますが、さあそれでは、ここにいう〝汝〟とは誰を指すのでしょうか？　普通には、こう解釈されています。それは相手にした子供で、その捨て子に向かって言っているのである、と。一応表面から見ると、確かにそう読めなくもないでしょう。けれども私は、むしろ次のような受け止め方をいたしました。この〝汝〟というのは、実は芭蕉自身の〝有限なる人間〟としての――我ながら歯痒い限りだが

——自分として、どうにも出来ない本来的な性（さが）、どんなに同情してみても虚しいばかり、そういう人間の宿命的有限性としての「性」を指しているのではないのか。——手持ちの食物の有りたけを与えたものの、それ以上は何をどうする術もない。恐らくは間もなく凍え死ぬに違いない不憫な幼な児の哀れに対する、外ならぬ己（おのれ）の絶対的限界性を、身の定め・人間存在の「運命（さだめ）」として見据えているのが、すなわち「汝が性」という表現なのではあるまいか。否なむしろ、哀れな捨て児も自分自身をも含め、およそ「人間」なるもの一般の、どうにも超えがたい有限性の定めを痛切に自覚している——そういう「人間実存」の深刻そのものの境位を、「汝が性（さが）の つたなさを哭け」と言い表しているように、私には思われてなりません。

ちなみに申し添えておきますが、この『野ざらし紀行』という標記自体が示唆しておりますように、そもそも芭蕉は旅に上（のぼ）る自分自身には、いつかどこかで行き倒れ「野ざらし」の白骨に成り果てるやもしれない、——そういう自己認識があったでありましょう。そうした覚悟で旅にのぼっているはずであります。現に、今ご紹介しました句の直前には、次の一句も認（したた）められているのであります。

野ざらしを　心に　秋風の　しむ身かな

つまり人が人としてある限り、いつでも何処でも起こりうる、どうにもならぬ絶対の卑小性・有限性という「人間存在」の根源的問題を、己れも捨て子も共々に、自らの「運命（さだめ）」と思い定め〝まっとう〟に受け止めようではないか——こういった俳聖芭蕉の〝退っ引きならぬ〟究極の人間観を、先の「汝が性の拙さを哭け」という冷厳に凝縮された言表のうちに、私は読み取った思いがしたわけであります。そして、このような芭蕉における人間実存としての痛哭の「有限性の自覚」に気づいた時、私が十八年前に無自覚のまま直面せざるを得なかった、あの「凍れる厳粛」と自ら名付けた原爆体験が内包する、己れ自身にとっての実存的意味とも申すべきものが、正に「これであったのか!」と得心できたのでした。改めて自覚的に再認識することができた、あるいは「即自かつ対自的（an und für sich）に」捉え直すことが出来たといってよいのかもしれません。今にして顧ると、実に長くて重い十八年間の青春期だったと思う次第ですが、この有限存在としての徹底的な認識というものを、初めて自己自身で肚の底から納得できて、私はようやく「内なる安らぎ」ともいうべきものを天から授かった、頂戴できたと思うようになったのでした。

なお、この絶対的な有限性の自覚という問題については、実は西洋におきましても古くから端的な〝メメント・モーリ〟（Memento mori）という言葉で表現されておりますね。「死を憶えよ」「死を忘る勿れ」、つまり、人間というものは必ず死ぬる存在だということを、絶えず忘れずに胆に銘じておけという趣旨が、セネカ以来の箴言となっております。この人間存在としての真実を、この際われわれ現代人もあらためて拳拳服膺すべきであろうと思います。それは人類の過去・現在・未来を通じて人間存在そのものに「普遍」の、あらゆる人間に「妥当」する、〝人間ならでは〟の究極の自己認識であり、同時にまた究極の「自戒」ないし自己抑制・自己吟味の主要契機に外ならぬものであると受け止めているからです。

さあ以上で、現在の〝私〟という存在が形成されて来ました、いわば〝魂の軌跡〟について節目ごとのポイントを挙げてお話してまいりました。万事にスローで三十歳近くなるまで、よう自分自身を取り戻すことができなかった、大変にマンマンデーな人間だったと思います。また同様のことは私の学問研究の面でも顕著で、自分自身が納得できない限りは先に進むことができぬといった、実に頑固なところがあったことは幾つか思い当たります。しかしスローであること、これは決して単にマイナス面だけではないのではなかろうかとも考えております。

それはともかくとして、私は三十歳近くなってから本格的に専門の学問に精励しました。博士課程での研究テーマは、西洋ルネッサンス期におけるキリスト教的ヒューマニズムと「ジェントルマン」理想の生成・展開でございました。

この研究でまず手がけたのは、ヒューマニスト中の王者とも称えられるデシデリウス・エラスムスが高唱した「キリスト教的人間性」(humanitas Christiana)という理念に関する研究でございました。けれども、これの詳細は時間がありませんので割愛させていただきます。ただし、ともあれ今お話したことを踏まえ、本日の後半の内容への手がかりともなるべき本質的に重要な問題を、次に指摘させていただきとう存じます。

それは、キリスト教的ヒューマニズムの歴史を長年手懸けてまいりました結果、私自身が肝に銘じている事柄が二つございます。第一に「人間」は、卑小な己れを、はるかに越え出た絶対的・超越的な存在を、真に〝識る〟ことによって――換言すれば、ただ単に頭の先で認知するのとは全く違って、心情や情念も含むすべての人間ならではの「能力」ないし「徳性」(virtues)を総動員する〝全人的〟な「統覚」(Apperzeption)によって――初めて、十全な意味での〝人間〟に成り得るということ。これが第一のポイントであります。

もう一つは、十六世紀のキリスト教的ヒューマニスト達が挙(こぞ)ってモットーのように〝自問自答〟し内省の便(よすが)とした「問い」の言葉であります。すなわち、「当該の事柄は、そも〈人間であること〉と、如何なる関係ありや?」(Quid haec ad humanitatem ?)――この自他に対する短い、しかし洵(まこと)に誠実かつ〝まっとう〟な「問いかけ」の言葉は、皆様方にも是非ご記憶いただきたいものです。それというのも、これは現代に生きる我々にとって実に重い、自他に対して折にふれ時に応じて、常づね問い続けるべき真剣な、徹底的にラジカルな問いかけであるはずだと信ずるからです。

そのことだけ申しあげて、ここでひとまず休憩といたしましょう。

## 〔Ⅲ〕「産」―「育」―「教」の本源的連関

### 気になる子供の仏頂面

つい予定の時間をオーバーしてしまいました。私は教育学の専攻でありますので、後半は教育（学）のお話もと心組んでおりました。それにしてもお話ししたいことが沢山あるので、できるだけ端折りながらお話ししたいと思います。

現在、私が教育学者として一番に心痛む問題がございます。何かと申しますと、ここ三・四十年ぐらい前からでしょうか、学齢期の子供さんたちに洵に〝仏頂面〟が目立つことです。本当にびっくりするほど仏頂面なんです。これは非常に心が痛むと同時に、今後にわたる極めて重大な事柄ではなかろうか、と大いに危惧せざるを得ません。私なんかが覚えております児童期というものは、自分の周りにある所謂「世界」に、絶えずキョロキョロと目を輝かせながら、ひたすら興味や関心を体中で表現していたような、そんな積極的姿勢だったと思うのです。そういうイメージを持っている世代にとっては、現在の子供さんは何ものにも目が輝かない、心が弾まない、なんだか内側にシンネリ・ムッツリと籠っていて、周囲の世界に活きした関心を持ち合わせていない風情が、どうにも私には「不安」でなりません。こういう有様のままで本当に宜いのだろうかと絶えず考え込んでしまいます。

今からいうと四十年以上も前、私が大阪大学の助手だった三十代初めの頃でありました。住んでおりました小さなマンションで、上階のほうから「○○ちゃん！」という母親らしき呼び声が聞こえて、そこで子供は家にとび帰るかと思いきや、そうではないのです。暫くして、何やら〝ボソッ〟という音がするんです。度々そうしたことが起こるので、ソッと見ていると、子供が寄ってきてボソッと落とされたものを拾い上げて食べ始めたのです。あのような仕方で食べ物を与えられる習慣の下で、いったいどんな人間に育つのだろうか――と考え始めて、三日くらい私は、どうにも食事も喉を通らないほど、深刻に思い悩んだ経験があります。そうした〝我が子〟への「ぞんざい」極まりない関わり方は、その背後に潜む親自身の精神的姿勢・態度と、どこかで深い関連があると思うのですが、今の教育の在り方、とりわけ家庭での日常生活そのものの内に、本来は厳然と存在するはずの、本質的人間的関わり合いの衰退・衰微。他方、それと引き替えに学校教育に代表される「知育」一辺倒の、あるいは「学歴」一辺倒の教育の見方・捉え方が、何らの疑問もなしに珍重がられている実状。――こうした昨今の現状は、私流にいえば正に教育観の〝本末顛倒〟と呼ばれて然るべきものです。人間ならではの最も枢要な、人と人との「人格的関り合い・品性陶冶」の部分が全く軽んじられ、本質的には枝葉末節の「立身出世」ないし「社会的上昇」の手段としての、単なる知識・技能の偏重に過ぎない教育の〝逆転〟――この一般的趨勢について、私は最も深刻に憂慮するものであります。そこで、具体的な日常的事例をまず手掛かりとした方が好便かと思いましたので、先のような私の小さな、しかしショッキングだった具体的経験をまず御披露した次第です。
さて、私の所謂「本末顛倒教育」への批判の真意を、より一層内容に即して明確にご理解いただくため、大へん印象ぶかい二人の方々の言葉を、以下に続けて紹介させて頂きます。

## マヤ・インディアンとR・シュタイナー

一つは、――本日、女性の聴講者が、お母さん方も多くおられるようなので、あるいは御存知かと思いますが――小林昇さんという育児書などを主に書いておられる方が、その『触れ合いの育児』と題された書物の結びに近いあたりで、次のようなマヤ・インディアンの詩を引用しておられます。読んでみましょう。

「生まれてくる赤ちゃんには、私たちの世界の未来があります。
お母さんは、赤ちゃんをあなたの胸にしっかりと抱きしめて
人間は信頼できる、世界は平和であるということを 教えてあげなさい。
お父さんは、赤ちゃんを高い丘の上に連れて行きなさい。そうして世界は如何に広いか、
如何に素晴らしいかを教えてあげなさい。」

一見すると何の変哲もないような詩とお思いかも知れませんが、次に紹介します、ドイツのルドルフ・シュタイナーという教育思想家・実践者の、次の言葉と両方並べてみますとき、日本における現今の「本末顛倒した教育」とは全く逆の、「本来的」な教育の見方・考え方が自ずと透けて浮かび上がってくるように思われます。

そこで、次にシュタイナーの言葉を、引用いたしましょう。

「教師は、自然と人生のあらゆる美へと、導きゆく案内人です」

これは彼が、一九一九年の九月に「ヴァルドルフ学校」(Waldorf Schule) という新機軸の教育施設をスタートさせたときの、設立趣意書の中にでてくる言葉です。続けて彼は自分の学校での教師の在り方に触れて、こう述べております。

「世界の豊かさ・素晴らしさ・人生のすべての希望が、教師の口から語られます」

と。

つまり、この新しい学校では全ての教師たちが、正にそうした点を主眼に教育を進めますよと、「教育」本来の重点が、高らかに奨揚(しょうよう)されているのです。

もう一度初めから繰り返しますと、

「教師とは、自然と人生のあらゆる美へと導きゆく、案内人なのです。

世界の豊かさ・素晴らしさ・人生のすべての希望が、教師の口から語られるのです」

こう語った上で、さらに次のような言葉を継いでいます。

「この新設の学校によって、人生がいっそう容易になるわけではありませんが、しかし決定的に豊かなものになるのです」

これが新設趣意書で高調されている教育の主眼であると見てよいでしょう。

そこで、いま紹介した二人の真摯な言葉を並べてみますと、そこから明らかに見えてくるものがあります。すなわち、「教育」というものが〝本来〟持つべき本質的核心は何かが、自ずと浮き彫りされてくるように思うのです。私流にまとめてみましょう。親や教師――総じて教育する立場の大人（おとな）が――子供たちに対して、「自分たちが生きているこの世の中は、何と豊かで美しく・真実なものであるか、そして人生は何と希望に満ちたものであるか」を折にふれ繰り返し示し続けるならば、子供は心底から安堵しつつ強い憧れを懐き、精いっぱい活き活きと生きようとするでしょう。そしてさらに一層、この世界の素晴らしさを知ろうとし、また夢や理想を抱いて様々なことに挑戦し、希望を持って力一杯努力するようになるに違いありません。――そのような子供は、常々目を輝かせて世界に心を開き、多くの真なるもの・善なるもの・美なるものに目覚め、驚き感動して親密さを覚え、自らが生きる現実界に深く根をおろし、生涯揺るがない信念の持ち主へと成熟してゆくでしょう。そして、その不動の安心と喜びから、自分の内なる善きものを積極的に伸ばし成長してゆくでしょう。その時、当然のことながら親や教師や年長者は、然るべき生き方のモデルであり「お手本」となるのであり、それを子供たちは活き活きと全身全霊で模倣し・〝まねび〟、憧れるものをすべて自分のものにしようと努めます。――恐らくこのような趣旨こそ、上に掲げたお二方の意義ふかい言葉が、我々に教育の最も核心部分ないし「教育」の本質的実質とは何かを、鮮明に教示してくれていると思われます。

いま述べたシュタイナーの系列学校は、現在なお世界各地で人気のある学校でありますが、そこでは例えば、子供たちの理科の学習ノートの〝冒頭部分〟には、次のような短い言葉が記されております。それは、ゲーテの「自然讃歌」の結びに出てくる印象深い言葉であります。「自然よ、自然よ。自然に驚くためにこそ、私は存在するのだ」、という感動と情熱のこもった言葉なのです。――これが、何と小学校の生徒たちの理科の教科書の一番最初に、それだけが刷り込まれているのであります。そもそも、この学校には標準的な「教科書」なるものは一切ありません。――そうではなく、教える側の教師自身が、何に驚き・何に感動し・何に畏敬の念を持つかということを、具(つぶさ)に自分自身の言葉でもって、子供たちに語り聞かせる。それを個々の生徒たちが思うままに自分でノートをとる。それは決して、口移しでノートするのではなく、教師が感動をこめて、自然の不思議さ・素晴らしさを語るのを聴き、それを生徒が各自に自分の思いの赴くままにノートに書き留めるわけです。一定期間がたちますと、生徒たちにとって「自分自身のノート」が、即そのまま教科書でもあるよう工夫されているのです。このようなことが現実に行われているのがシュタイナー学校で、日本でも少数ながら既にシュタイナー教育の試みが実践されつつあります。その個々の教育方法をめぐって評価は区々ですが、先程指摘した設立趣意書に明記されていた「教育」の〝根本義〟は、今日の日本の教育界に蔓延っている「知育」一辺倒の、「学力・学歴主義」に対する全面的アンチ・テーゼとして、我々が真正面から再考すべき必須の課題であると考えます。

## 「ミニマム・エッセンシャルズ」の根本的〝誤謬〟

顧みれば大阪で「万博」が催されたのは一九七〇年のことでした。ちょうどあの頃から、日本の家庭は「教育中心家族」になったと説く芹沢俊介さんという評論家がおられます。〝教育中心家族〟なぞと聞くと、一瞬は大いに結構なことと思われるかも知れません。しかし「教育中心」という、その言葉の中味が実は問題なのです。つまり、あらゆる家庭が子弟子女にできるだけ高い学歴を得させようと躍起になって、一家を挙げて受験競争に打ち勝つべく努力するような事態が徒らに繁茂してしまっている。そういう批判ないし揶揄をこめて「教育中心家族」と芹沢さんは呼んでいるのです。彼は、むしろ実質が空洞化してしまった現代日本の教育の「本末顛倒」ぶりを指摘したかったのだと思います。確かに七〇年代以降の、いわゆる「高度成長」という経済的大波に乗っかった、一般国民の暮らしぶりを振り返ってみますと、本当に子供たちが、喜び勇んで活き活き学んでいるのかどうか？　親たちは本当に子供たちの「人間的・人格的」成長を願って養育しているのかどうか。この一点に照準をおいてみますと、まことに寒気を催すほど、全く逆方向を目指していると思わざるをえない現状です。よくこの頃、――文科省がはやらせている言葉だと思いますが――〝生きる力〟とか、〝学力〟とかいった掛け声が流行しておりますが、そもそも〝学力〟とは何でしょうか？　〝学び〟って何なんでしょうか？　あるいは〝生きる〟とはどういうことなのでしょうか？――他人様を蹴落とすような、それこそ「生き馬の目を抜くような」世間を旨く泳ぎ抜くことなのでしょうか？　そのようにして高学歴を求め立身出世することが、果たして人間として「生きる力」なのでしょうか、如何でしょう？――まずもって我々「親」世代の者たちが、根本に立ち還り、自分らの教育観について真に批判的に吟味する必要があるのではないでしょうか。

私は教育学者として、そうした根本的視点に立ち戻ることを強調したいのですが、それは決して一般社会の問題だけではありません。教育学の領域でも実は到るところに見られる憂慮すべき現象なのです。一例を挙げれば〝ミニマム・エッセンシャルズ〟（minimum essentials）なぞという用語が屡々使われることがあるので、皆様方もどこかで耳にされたことがあるかも知れません。申すまでもなく、〝ミニマム〟とは最小限のという意味ですが、「問題」なのは実は〝エッセンシャルズ〟〈本質的に重要なもの〈複数〉〉という方なのです。――先程も、やや別の問題に関してですが、根本的には明らかな誤謬であるにも拘らず、極めて皮相な誤った解釈に基づく用語が流布している事例を指摘しましたが――それとも本質的に同様の誤謬が、今や無反省に用いられている〝ミニマム・エッセンシャルズ〟という用語法にも、歴然と認められると思うので敢えて言及する次第です。現在、不思議にも一種の流行のごとく声高（こわだか）に説かれている、「〈生きる力〉を養うためのミニマム・エッセンシャルズ」なぞといわれる際の「意味合い」は、一体ぜんたい何なんでしょうか。決して人間が真に人間らしく生きてゆく上での「本質的要件」という、本来の意味ではあり得ません。それとは、全く別次元の問題として捉えられています。すなわち、いかに素速く効率的に、より上級の学歴を取得できるかという目標を達成するため、遺漏なく身につけるべき最小限必要とされる諸々の瑣末（さまつ）な知識・技能のことを指しているのです。要するに、社会的・経済的優位を入手する手立てとして、是非とも必要だから何が何でも勉強して学び取りなさい、という慫慂（しょうよう）に外ならぬものなのです。けれども親や教師から「必要なんだから勉強しなさい」と勧められても、当の子供にとってそれは、本当の「学び」になるのでしょうか？　子供が本気で知りたいと思い、そのことで自分自身がもっと大きく、もっと賢く、もっと活き活きと成長したいと、〝人間らしい喜び〟と共に学ぶのであれば大いに結構なのです。だが、「いずれ将来のためになるから、今は無理してでも勉強しなさい」では、せいぜい忍耐力の養成にとどまるくらいのことでしょう。それが本当の意味で、

「学び」になるのでしょうか。当の子供の真の「人間的成長と幸福」に資するのでしょうか。

　そこで改めて、現今ふつうに〝ミニマム・エッセンシャルズ〟と呼ばれている際の「エッセンス」(essence：本質・精髄)とは、いったい何を意味しているのかを問い直してみたいのです。それを通じて逆に、人間存在に固有の「教育」というユニークな営為の、真に〝エッセンス〟と呼ぶに値するものについて、再確認するためであります。率直にいって、現在では「教育」なるものが、出世のために有利な大学の受験、あるいは有利な就職のために「不可欠な事項」といった、実利一辺倒の浅はかな一点に〝照準〟されているのは明らかです。しかも、そのさい教育関係者の間でも平気で、〝基礎〟と〝基本〟という両概念が混同視され、あたかも同義語のごとく一括して用いられております。しかし、ここにも大変な誤解が潜んでいます。「基本」的というのは英語ではファンダメンタル(fundamental)ですね。それに対して「基礎」的の方はエレメント(element)、すなわち「要素」なるもののことです。何か或る事柄が成り立つ上で欠けてはならない――物理学でいえば〝元素〟に当たる――もののことです。そういう意味で必要不可欠なものの謂いなのであります。ところが「基本」の方は、むしろ本質的ないし根本的な視点からして、「枢要かつ本源なるもの」を意味します。こうした差別を無視して、例えば「基礎基本の知識・技能」なぞと臆面もない使い方がされています。そして無駄なく効率的に学習を進めるための、最低限必須の教授内容をカリキュラムとして組み立て、それを以って〝ミニマム・エッセンシャルズ〟と称して憚らないのが実状なのです。このような無責任と不見識をさらけ出して、果たして教育学者として通用するのでしょうか。教育上、本質的に最も「基本」として枢要なものこそは、やはり「人間存在」として欠く可からざる「善く生きる力（aretē）」としての諸徳性の涵養に外なりますまい。それを等閑に付したまま、社会的・経済的な上昇の手段としての基礎的な知識や技能を習得させさえすれば、次世代は人間として十全に成長・成熟するとでもいうのでしょうか。

以上に指摘したように、次世代の「人間形成」にとって洵（まこと）に非本質的な、教育本来の〝実質〟を欠いた空疎な現在の教育環境全体を、——具体的には教育界をはじめ社会一般における「人間とその陶冶」に関する基本的観念そのものの全面的〝執り違え〟を——私は深い嘆きとともに、敢えて「教育の本末顛倒」と呼んだわけであります。

## 人間性の陶冶——その要諦をめぐって

本来の「教育」とは、〝親や教師〟の先行世代が、人類史的展望に立ちつつ、自らの真摯な信念と夢や理想、願望と期待を次世代に向かって、「自分自身の言葉」で情熱こめて語るとともに、併せて平常の具体的生活場面で、実際にその「お手本」（exemplar）を即座に印象深く〝呈示〟して見せること、これこそが、勝義の「教育」の名に値する「人間ならでは」の真の

「形成的」営為でなければなるまい、と私は考えます。それ故、私が「本末顛倒」と名付けているのは、――別の言葉でいえば――人間形成に関わる本質的「価値」観ないし「倫理的妥当性」における、明らかな〝アナーキー〟現象を指している、とも申せましょう。「価値」のオーダーが完全崩壊して、「人間形成」としての教育にとって、何が最も本質的な目標とされるべき価値なのか、――これを改めて批判的に吟味・省察することなく、徒らに世の趨勢に流され続けているのが現状です。そうした現実を冷静・冷徹に見据えた上で、何としても事態を根本から建て直さなければなりますまい。何故ならば、こうした現代の一般的風潮の根底には、「所詮、この世は金しだい」といった深い〝人間蔑視〟と、人間としての道徳的品性や尊厳性の〝否認・否定〟に陥りかねない〝ニヒリズム〟が、紛れもなく伏在しているからです。こうした徹底した「人間不信」が自明の前提として容認される限り、もはや「人間形成」の積極的意義は壊滅せざるを得ないからです。それは、「ホモ・サピエンス」（叡智の人、賢慮の主体）としての〝人間そのもの〟の、根本的自己否定に外なりません。

このように、〝教育の本末転倒〟問題を突き詰めてゆくと、人間としての己れ自身の「存在理由」（raison d'être）を貶め、否定し去る決定的「自己矛盾」に逢着せざるを得ないのです。してみれば、私が本講演の後半冒頭で指摘した、現今の子供たちに特徴的な〝仏頂面〟の現象とも、それは本質的には決して無縁でないでありましょう。いま言及した如き――不知不識のうちに蔓延してしまった――現代日本の一般的精神状況としての〝ニヒリズム〟（自己蔑視・自己貶奪）が、根底に深く蟠（わだかま）って居たればこそ、そこから先行世代が後続世代に対して向き合う基本姿勢も、大幅に歪まざるを得なかったのでしょう。本来ならば、先行世代が確固たる自己の信念に基づき、後続世代に対して自らが抱懐（ほうかい）する人生観・世界観・価値観を力強く語りかけると共に、日常生活の具体的場面に即しつつ、自らがモデルとなって「範」を示すことで、その内実を実践的に〝証行〟して見せることが、人間性陶冶にとって決定的な「要訣」なのです。その「根本」を履き違える時、〝教育〟はその最たる「実質」を逸失し、単なる形骸と化する外ないでしょう。つまり先行世代自身の――無自覚ながら――人生に対する「浅はか」な〝構え〟そのものが、実は必然的帰結として、次世代の鬱々たる心性に直接反映されてしまう「不幸」を決して看過してはなりません。その「人類史」的責任の重大性に思いを致し、我々は今こそ人生態度における、本質的〝ニヒリズム〟の世代的連鎖を断固として断ち切らねばなりますまい。

　けれども、現状を単に批判するだけでは何の役にも立ちません。本質的に観て、何が「根本・根幹」で、どれが「枝葉・末節」であるのかを〝弁識・弁別〟する必要があります。しかも弁別・弁識を誰か特定の別人に任せるのではなく、我々〝一人々々〟が外ならぬ「わが子」のために、自分自身で敢えて批判的に「分別」する人格力を磨き養わなければなりません。それというのも、この価値や意味・意義に関わる「弁識力」こそは、そもそも〝教育〟とは如何なる営みであり、人間が真に人間らしく生き抜く上で、本来の〝教育〟が、どれほど決定的な意味や価値を担うものかを見定める際に、是非とも欠く可からざる「徳性」ないし基本的な人間固有の能力に外ならぬものだからです。そして、この〝人間ならでは〟の能力は、決して特定の専門家だけの職業的力量ではありません。むしろ、われわれ一般人が各自に〝人間実存〟としての誠実な生き方を通じ、自ら陶冶・体得すべき人格的特性そのものなのであります。

そこで、私は教育学者として、是非とも皆様方に「本音」で申し上げたいことがあります。——現代のいわゆる各種「先端科学技術」や、また「脳死判定‐臓器移植」をはじめ、「DNAの解析と組み換え」「ｉPS幹細胞と再生医学・医療」、はては「不妊治療とデザイン・ベビー」等々といった、医学的分野での諸先端技術などとは、〝本質的〟に次元が異なる——人間独自の「精神ないし魂の世界」に照準された〝もう一つ別の先端〟への「眼差し」を、このさい是非とも取り戻して下さるよう御尽力をお願いしたいのです。この人間特有の「崇高」なレヴェルの特異な〈いのち〉の実相を、〝正当〟に把捉する努力こそが、過剰なまでに偏向した今日の「先端科学技術」文明のもとでの、喫緊の「人類史的課題」といわざるを得ないからです。別だん脅かすつもりではありませんが、冷静に顧みて今や「ホモ・サピエンス」としての人類自体が、その外部的（地球）環境からしても、同時にまた内部（心的・精神的）環境からしても、正に〝死活的〟（vital：生死に関わるほど決定的に重大）な二重の破局面に立ち到っておるからです。このことを、冷徹かつ深刻に受けとめるべき秋でありましょう。――こうした心身両面にわたる人類の命運が賭かった〝退っ引き〟ならぬ絶対的境位を自覚した上で、改めて「教育」という人類独自の営為について根本から問い直して参りたいのです。

## 「被包感」による「育ち」――眼交の教育

そこでまず、教育の〝発端〟について具さに考えてみましょう。それは、実は〝産むこと・生まれること〟であります。これは動もすると等閑視されがちですが、本当は深く胆に銘記すべき「根源的」な事実です。言うまでもなく、お母さん方は命懸けで、血と涙と汗とともに「吾が子」を、この世に産み出して下さるのです。この実にホットで厳粛な、「人間実存」としての原点について、〝教育問題〟を考える以上は、まず以って真正面から見据えることが肝心でしょう。というのも、人間形成としての初原は、正に「産」から始まると同時に、そこから直ちに長期に亙り継続される「育」という一連の驚嘆すべき営みが、「母と子」の間で展開されるからです。この両者の緊密そのものの関わり合いの中で、頑是ない幼な児が生命体としてのヒトから「人間的存在」としての〝人間〟へと、不断に生成・育成されてゆく複雑極まりない関係性は、正に霊妙・不可思議とも讃えらるべき「驚異的」（wonderful：強い感動を伴った驚きの）出来事といって差し支えないでしょう。嬰児は生まれた途端から、文字通り〝掛け替え〟ない「吾子」として、主に母親から全幅の愛護を蒙って育つのであって、その深ぶか温くぬくと全面的に安堵しきった「被包感」（Geborgenheit）を、まこと長期間にわたって存分に享受することによってこそ、人間として最も基本的な徳性である愛・信頼・感謝・素直さ等々の〝全一的統合〟としての道徳的心情・心性が自ずと培われるのです。

先に私は十二歳の折に、思いもかけず突如「オッパイ」を求める幼気な弟の〈いのち〉に直面した経緯をお話ししました。当時の実感としては、原爆直下で奇跡的に九死一生を得た、「天与の〈いのち〉」の息吹かもとの思いに駆られながら、幼な児のか細い生命の保全に夢中になったことでした。そうした実際上の体験からして、「産」と「育」とは概念上は別々で、また時間的順序としても別の局面と考えられているけれども、実は一連の〝全一的〟な過程と観る方が妥当ではあるまいかと思うことが屡々でした。因みに現在の実験的発達心理学の知見によれば、誕生後数時間のうちに、赤ん坊が母親の瞳を懸命に追いかけようとする様子が確認されています。つまり、視線を合わせようと努めているのです。――これは、「目線接触」（eye-to-eye contact）なぞという用語で呼ばれておりますが、この事実が〝含みもつ〟重大な形成的意味を知れば知るほど、正に感動的で、不思議というより〝神秘的〟といわざるを得ないほど、実は〝もの凄い〟事柄なのです。赤ちゃんは生まれて間なしに、もう外側の世界である

「母」という存在に〝焦点〟を合わせようと全神経を集中しているのです。むろん赤ちゃんの方から発言はありませんが、眼の動き自体が既に「心」の反応の一部であり、心の交わりの発端なのです。そういう――原初的ではあるけれど――真に「眼交」という古来のステキな日本語にふさわしい、「人間学的」にも極めて有意義な働きのことを、ただの平板で貧相な「アイ・コンタクト」といった科学用語で表現されるのは、正直いって私は好みません。

　私自身は、この母子相互間の複雑かつ緊密・〝豊饒〟そのものの関わり合いのことを、「被包感」と呼んでいます。実はこの言葉は、――先程すでに予め提示させて頂いておりますが――かつて私が翻訳したO・F・ボルノウ先生――ドイツはチュービンゲン大学元教授で、教育哲学の世界的泰斗――が提唱された概念で、それを次に摘記するような私なりの解釈に基づき、ふつう訳されている「庇護性」という日本語を斥け、敢えて「被包感」と訳出したのです。それは典型的には、母の温かく香ぐわしい胸許に優しく抱かれている〝みどり児〟が、安心しきって伸びのびと自分の〈いのち〉そのものを、不知不識ながら存分に〝享受〟している状態の謂いに外なりません。そこには絶えず母親の「いい匂い」があり、柔らかい肌理こまかな胸があり、優しい温もりがあり、さらには無条件の安らぎ・和み・絶対の安寧感があり、しかも、いつも同じ母の愛憐にみちた眼差しと容姿が見え、愛のこもった同じ声音が常に自分に向かって集中的に〝降ってくる〟ように注がれている。――これが何百・何千回と繰り返し重ねられるにつれ、次第々々に幼児の〝自己〟感覚ないし原初的な自己意識が芽生える。それにつれて、自ずと嬉しさ・楽しさ・喜び・幸せ・ありがた味等々の人間ならではの情調や情感が育ち、そこからさらに「もの心」つくに従い、愛着・依存・愛情・感謝・従順・忠誠・信頼等々といった能動的な倫理的姿勢・態度、ないし人間ならではの〝徳性〟の基(もとい)が身につくに至るわけでしょう。つまり、母親を中心とする「保育」する側からすれば、正に「産」に始まる長期にわたる「育」の営みの中では、「人間生成」と「人間形成」が分かち難く絡み合いながら極くごく自然な形で進行するのであります。それゆえに「産」と「育」と「教」とは、現実的・実質的には正に一連の〝連続的・一体的営為〟に外ならないといって間違いないでしょう。先程、敢えて〝神秘的〟な事柄と称した所以であります。

さて私はここまで、人間の母親が出産直後より、嬰児からの無言の〝呼びかけ〟に即応しつつ、已むに已まれぬ思いに促されて〝吾子(あこ)〟に向かい、実に長期にわたり全身全霊で繰り返す育児活動を取り上げ、その「人間形成上」絶対に不可欠な意義に関説してきました。それとの必然的連関で、今フト鮮明に思い出すのは、ドストエフスキーの『白痴』という作品中の一場面です。先刻ご承知の通り、この「白痴」とはムイシュキン公爵という年若い、しかし「魂」がひときわ純粋な貴族の渾名であります。それだけ純潔な魂の持ち主である若い公爵が、ある朝息せき切って戻ってきて「いま今、あそこで神をみた！」と叫ぶのです。「神を見た」と。

よく聞いてみると、「いや、あそこで若い百姓の女房が、赤ちゃんを抱いてあやしていたのだ」と言うのです。そこに、正に「神様」がいたと絶叫したのです。この醇乎たる魂の主なればこその鋭い直覚によって、件の母子の佇に歴々たる「神の働き」を看て取り、感動のまま右のような叫びをあげたに違いありますまい。

　こうした親と子の間で交わされる〝神聖な〟心の営みを具体的に奨誘する例としては、既にご紹介したマヤ・インディアンの詩にも見られた通りです。――本当に幼い嬰児には、お母さんが愛情こめて胸にしっかり抱きしめておあげなさい。また物心つきはじめた子供にはお父さんが、小高い丘の上に一緒に登り、世界はこんなに広いんだよ！　こんなにも素晴らしいんだよ！　と感動こめて教えておあげなさい――このように勧めていましたね。その一瞬々々に、親子の間で活き活きと行き交う限りなき親愛・親和の情趣・情調が、どれ程〝ふくよか〟で〝深々〟した人間形成を促すか、それこそ測り知れないものがありましょう。

　さて、基本的には全く同様の文脈において、少々別の角度からの具体的実例として、もう一つ感動的な美しい書物をご紹介したいと思います。

　それは、『センス・オヴ・ワンダー』（The Sense of Wonder：自然の素晴らしさに目覚める〈こころ〉）――とでも意訳しておきましょう――と題された、本当に素晴らしい書物です。このいわば「自然賛歌」とでも評すべき、息をのむほど美しい写真がふんだんに挿入された本書の著者は、Ｒ・カースンというアメリカの女性科学者で、彼女が愛してやまぬ姪の忘れ形見ロジャーのために企画されたと序文に明記されています。彼女は第二次大戦中に開発された殺虫剤（ＤＤＴ）の薬害を逸早く指摘した人物で、現在のいわゆる「環境ホルモン」――人間をも含め「生き物」の胎生期に超微量の薬剤に曝されるだけで、瞬時にして生殖機能に重大な障害をもたらすメカニズム――を実証して、その危険を予告した先駆者です。他方で持ち前の繊細な感性で幼いロジャー君と一緒に、メイン州の森や海浜を散策し、星空を眺め、鳥の啼き声や風の音に耳を澄ませ、色とりどりの貝殻を蒐め、地衣藻の感触を楽しむ体験などを共有したのでした。「自然」のもつ多様で神秘的な美しさ・精妙さ・不思議さに、幼な児が心ゆくまで胸踊らせるよう期待したからです。そこには、次のような意図が明らかに示されています。すなわち、「私たちが住んでいる世界には様々な喜びや感動や神秘などがあるが、それらを直に〈こども〉〈おとな〉共々に再発見し、感激を分かち合う〈おとな〉が常に身近にいること。これが何よりも大切である」と。

以上に述べた若干の具体例からも諒察して頂けると思いますが、要は「育て・教える」側の〈おとな〉が、次の世代に対して頑是ない幼い段階から、無償の愛と誠を尽くして日常的に、折にふれ事に即して、能うる限り親密な心の交わりに努める姿勢・態度こそ、間違いなく人間形成上決定的な根本課題だということです。

この点に関わってさらに、わが国で現在も活躍中の作家、曽野綾子さんがいみじくも述懐している印象的なエピソードを、次に付け加えておきましょう。偶然目にふれた彼女の一文は、ご子息「太郎さん」が大学に入学したのを機に書かれた短い随想でした。ごく小さい頃から、彼女は誰方(どなた)かから物を頂戴した折りなどに、定(き)まって太郎さんに向かって「マア有難いわね、ありがたいわね！」「おいしいわねえ、おいしいわねえ！」と繰り返し語りかけ、常に感謝と喜びを子どもと共有しようと心掛けた、と書かれていました。その結果「太郎は、他人(ひと)様の好意に敏感な心根の優しい青年に育ってくれたことを、神の恵みと感謝すると共に親として誇りに思う」といった趣旨の文章でした。それは、曽野さん自身の洵(まこと)に素直な感慨であると同時に、正にヒトが勝義の「人間」へと生育・成長してゆく驚嘆すべき「人間化」(humanization)の真髄を、自ずと語り伝えてくれる貴重な一文といって過言でないでしょう。日頃から身近で育ちつつある〈こども〉に対して、親御さんをはじめとする親しい〈おとな〉たちが、その都度示す「示範」(example)——これは教育用語ですが、私としては寧ろ「お手本」(exemplar)——のもつ〝形成的意義〟については、これまで以上に重要視されて然るべきであると考えています。換言すれば、信頼する〈おとな〉が身を以って具体的行動で示す「お手本」により、心情面の習慣化ないし〝エートス(Ethos)化〟を促進することこそ、教育実践上の最重要課題として、もっともっと〝慎重に〟キメ細かく配慮される必要があると考えております。総じて子供は、親御さんないし同様に信頼する〈おとな〉たちから授けられるものを、善きにつけ悪しきにつけ、一切を直接に胸中に染み込ませてしまうからです。

ところで、これを反面から捉えるならば、実は洵に〝恐い〟ことといわざるを得ません。そこで、――私事にわたることで恥ずかしい限りながら――先に少々触れた弟の養育にまつわる、正に笑うに嗤えぬ実例を一つ御披露せざるを得ません。当時の私は十二歳の若蔵でしたから、幼な児の扱い方なぞ知る由もありませんでした。例えば、弟の頭髪を洗ってやるにしても、ずいぶん乱暴・粗雑であった様子が、ずっと後々になってから判明したのです。と申しますのも、それから何十年も経って、件の弟の息子二人が我が家を訪れた折のこと、何らかの拍子で口々に「お父ちゃんが頭を洗ってくれたんは、ほんまカナンかったナァ」という話がでました。「なんでや？」と尋ねたところ、「いや、髪を洗う時、頭が前後左右に振り回されて、ほんオウジョウした！」と嘆く言葉が返ってきた途端、私は直ぐ事情を察知し、愕然どころか気絶しそうなほど「しまった！」と猛省したことでした。「後の祭り」とは正にこのことですが、私が頭髪を洗ってやった時、当の弟は何の疑問も感ぜずに、極く当り前のこととして受け容れてくれていたに違いありません。だからこそ、自分の息子たちに対しても、何の躊躇も斟酌もせず、私がしてやった通りのことを当然のこととして繰り返していたのです。そのことについて直接に謝った覚えはありませんが、私は身も心も縮み上がらんばかりに自責の念に駆られ、今もって相い済まぬ思いを懐き続けております。――それだけに、改めて痛感せざるを得ないのは、次の点であります。すなわち、身近にいる〈おとな〉から、幼い〈こども〉に無意識のうちにも――「善悪両面」にわたって――与えられる深甚な影響についてであります。それは既に、右の私自身「ほぞ」を噛む失敗譚からしても、容易に推して知ることが出来ましょう。しかも、それが「人類としての世代連鎖」を通じ次から次へ、世代を越えて長く受け継がれてゆく戦慄すべき〝循環〟に気付く時、正に思い半(なかば)を過ぐるものがあると申せましょう。

以上に縷々指摘・説明してきたように、「教育」の〝基本〟に関わる根幹部分と、例えば外国語の習得とか計算力の向上等々といった、操作的・技術的な〝枝葉分野〟との「差別(けじめ)」については、もはや多言を要するまでもなく明白でありましょう。そこで、「教育」という人類特有の営みの原点ないし出発点が、実に哺乳動物に共通・普遍な、あの〝母子とも命懸け〟の「出産」にあるという厳たる事実に、ここで再び立ち戻って、やや別の角度から、さらに若干の考察を試みたいと思います。

### 「教育」の語源分析――漢語・ゲルマン語・ラテン語・ギリシャ語

何故なら、「教育」という営為は普通に考えられている以上に、実は全人類の命運に直結する一大事、一大要件そのものであるからです。「ホモ・サピエンス」としてのあらゆる文明・

文化の基盤は、――先ほど示唆しておいた通り――他ならぬ生物学上の「世代連鎖」によって、はじめて成立可能となることを忘れてはなりますまい。人類の文明・文化の最たる一環である「教育」は、日常的に極く当り前の活動として、さしたる意識もされないままに、しかし〝地道に不断に〟着々と継続されてきております。それゆえに、教育の本質的意義についてはほとんど気付かれぬまま、あたかも日常的些事のように誤認されているのが実情です。そうした誤解を打破し、正当な認識を改めて獲得するため、次に代表的諸民族における「教育」を意味する言語を取り上げ、その根源的由来について探ってみることにしましょう。

まず漢字の「育」から始めることにします。この字を分解してごらんになったことがありますか？　よく見ると上の半分は、「子」という字が「逆さ」になっています。その下に、ご承知のように「月（にくづき）」ですね。これは「お月さま」の月とは違って、腸や胃や肺など、要するに動物の体内にある襞目（ひだ）のついたパイプ状のもの――これを表しているのが〝にくづき〟という象形文字です――つまり、全体の形から解釈すれば子供が逆さになって、〝にくづき〟の部分を通って「産まれ出て」くることを表示しています。したがって「育」という字は、もともと出産に際して、赤子が頭を先に産道を通って外へと下ってくることを意味する字なのであります。なお、ついでながら「教」の原字〝敎〟にも触れておきますと、この字も左右の「併せ字」です。左側の「𡥈」は、そもそも〝學（まなび）〟の古字であり、右側の「攵」は元の字形が

〝攴〟（漢音ではホク：上方からの注意・指示）であります。この組み合わせの字義を総合して解釈すれば、したがって「教」とは、決して一方的に「押しつける」のではなく、一方からの注意や指示に対して、他方の教わる側が、それに〝能動的に呼応〟して――今風に言い直せば両者「コラボ」して――初めて「まねび＝学び」が成立する。要するに「教」は本来的に、教える側と学ぶ側との共働的営為を意味する字なのであります。

ところで、漢字の場合と同様に、――かつて私が丹念に調べたところ――英語やフランス語などラテン系の言語について分析しても、次のような由来が明らかになります。英語の「エヂュケイション」（education：教育）もフランス語の「エヂュカシオーン」（éducation）も共に、ラテン語の「エドゥカティオ」（educatio）が起源ですが、この名詞は元々、「エドゥケレ」（educere：外へ引き出す）という動詞に由来します。ところが他方、「エドゥカーレ」（educare：生き物を養う・飼育する）という動詞の名詞形でもあります。この両動詞は、実は同じ語根（root form）から派生し、極めて親近性の高い関連があります。つまり言葉の成り立ちから見ても、「産」と「育」との緊密な関連は明らかでしょう。

次にゲルマン系の言語を見てみましょう。「エアツィーウンク」（Erziehung）というのが、「教育」を意味する名詞です。その動詞「エアツィーエン」（erziehen）は、これまた〝引っぱり出す〟という意味が中核ですが、十一世紀ごろから北部ドイツ地方で「エアツュヒテン」

（erzüchten：躾ける・訓育する）という言葉と、ほぼ同義語として用いられていたことが分かりました。これは元来、家畜などを飼養・馴致するという意味の動詞です。したがって、これら形の上で酷似している両動詞の間には、意味の上でも相互に習合（しゅうごう）する関連があったと見てよいでしょう。

さらにもう一つ、ギリシア語の語源についても見てみましょう。ソクラテス・プラトン・アリストテレスなどが生きた古代ギリシアでは、わけてもアテナイでは〝心身両面〟の教育が盛んでした。これら「ムーシィケー」（musikē）と「ギュムナスティケー」（gymnastikē）とを総称する言葉が、すなわち「パイデイア」（paideiā：教育・教養）という名詞でした。この名詞は、元来が「子供」（pais）を「導く」（agein）という二つの文字から成る合成語でありますが、〝子供を導く〟（教育）活動を行う「教師」を「パイダゴーゴス」（paidagōgos）と称し、そうした教育活動を営む術のことを「パイダゴーギア」（paidagōgia）と呼んだのでした。ここで注目すべきは「子供を導く」という際の実質内容が、極めて多岐・多様な意味次元を含みもつ点です。すなわち、赤子を産道から導き出すことを始め、子供の人間陶冶のために体育場（gymnasion）や市民会議の広場（agora）などへ主として父親が導き行くこと、さらには一定の知識・技能へと導き入れることも、すべて同じく「パイデイア」なのであります。――このように古代ギリシア語においても、頑是ない幼な児から一人前の「市民」（polites）へと育成してゆく「教育」の原点には、疑いもなく「出産」があったのです。因みに付言すれば、当時のギリシア社会（ポリス）では「お産婆」さんの地位が極めて高かったのも、今述べたような背景と無縁ではないでしょう。

## なぜヒトは生理的早産なのか

さて以上に概観した通り、代表的諸民族における語源の分析から推しても、元来「教育」と「出産」とが極めて密接な連関をなしていることは明らかでありましょう。それは何故なのでしょうか。その理由ないし根拠については、生物学的に既に解明されております。簡潔に説明しましょう。同じ哺乳類で、人類と最も近いチンパンジーと比べると、人間の新生児は、生得的メカニズム（機序）としての「本能」に関して、眼瞼反射と吸乳反射以外はほとんど持ち合わせないままに——つまり生物学的には、胎内で十分な成育に至るはるか以前の状態で——産まれ落ちるのです。その意味で、人間はしばしば「欠陥動物」とさえ呼ばれるほど、無力な存在として生き始めるのです。しかし正に、この「生理的早産」という事実こそ、人類にとっては「正常」であるのみならず、むしろ最大の特長点なのです。つまり、生物学的には弱点に外ならない不足部分を、後天的に——本能からの規制を離れて——〝自由に〟自ら補充するため、「人類の子」は出生の後、実に長期間にわたって親世代から、養育と同時に指導や教示を十分に与えられて、漸く通常の「人間」へと成長・成熟してゆくことが出来るわけです。

このように、人類は――生物学的には極めて――特異な存在であるが故に、却って単なる生物の次元を遥かに超え出て、独自の高度な精神的・文化的世界を構築しつつ進化してきたのです。そのため、本能の点ではほとんど無力に近いまま誕生してくる「ヒトの子」が、やがて一人前の責任ある〈おとな〉へと成長・成熟を遂げてゆくには、上述のように先行世代による無私の愛と誠意に支えられる、長期にわたる懇ろな養育・教育の活動が、本源的に不可欠なのであります。これこそ、オランダのM・J・ランゲフェルド先生――先に名を挙げたボルノウ先生と相並ぶ現代教育哲学の双璧――がいみじくも、「人間」を定義づけて「教育されねばならない、そして教育することの出来る動物（animal educandum et educabile）である」と、ズバリ喝破された所以でもありましょう。この簡潔な定義には、一個の人間としての自己充実・自己成全と同時に、その成果がまた直ちに世代連鎖を通じて順次に、後続諸世代へと継承されてゆく、人類史的使命の達成・成就に外ならぬものでもあるという、正に「ホモ・サピエンス」における二重の意味での「教育」の〝真義〟が、端的に表現されていると申せましょう。

ところで日頃のわれわれ自身を顧みると、――上来論じてきた――人類にとって本源的に必須の営為である「教育」について、ほとんど無関心のままに打ち過ぎてきたのではないでしょうか。というのも教育が、余りにも日常生活に密着した形で安易に行われてきた嫌いがあるからです。つまり、その極めて力動的で奥深く崇高な本来的意義への特別な顧慮を欠いたまま、教育の問題を専ら常套的な形式や手続きの次元でのみ捉えてきた結果、単なる日常性のレヴェルに矮小化させてしまったからに外なりません。その意味で、人類が幾十万もの世代連鎖を通じて、営々と創り上げ継承してきた独自の高品位な「人間性」（humanitas：人間の最たる所以の特質）が、今まさに〝メルト・ダウン〟の危機に瀕しているのです。してみれば、人類が今後もあくまで「ホモ・サピエンス」（叡智の人、賢慮の主体）として生存しようとする以上は、その〝死活的〟結接点に立つ我々〈おとな〉世代が、改めて〈こども〉世代に対して、「人間ならでは」の〝善く生きる力〟に外ならぬ諸「徳性」（virtues）を、真剣に涵養・陶治する〝責務〟を、不退転の覚悟で担い執らねばなりますまい。

こうして、〈こども〉世代の人間形成に実践的主体として長期にわたり深く関与することは、〝翻って〟当該の〈おとな〉世代自身の側にも、実存的人格として「一層の向上」（excelsior）を齎さずにはおかないでしょう。両世代の――二・三十年の年齢差がある――ライフサイクル同士が、それぞれの位相に応じて「陶治‐被陶治」をめぐる最もダイナミックで緊密な〝噛み合い〟（cogwheeling）を形づくる時、そこでは両世代間の心身両面にわたる驚嘆すべき多彩な価値の創出と伝承が担保され、結果として「ホモ・サピエンス」独自の精神的・文化的「産出力」（generativity）が、自ずと確実に生起する――この厳たる事実を忘れてはなりますまい。こうした「叡智の人」としての特異な立ち位置と使命に目覚めるなら、それに伴う「矜恃」ないし「自持」(self-reliance)も、自ずと〝覚知〟されることでしょう。けだし、人間陶冶としての「教育」活動に献身的に取り組む努力こそ、実は〝人の子の親〟として、子孫をこの世に送り出した当該の「人間実存」にとっては、まさしく〝究極の良心〟に基づく、退っ引きならぬ実践的「応答＝責任」に外ならないのですから。

## 〔Ⅳ〕「人間らしく生きる」こと――教育の基本目的

さて、時間も大幅にオーバーしましたので、取り急ぎ締め括りをしなければなりません。そこで皆様方に、私の〝本音のホンネ〟とでも申しましょうか――それを、上来の語りよりもストレートに、もっと直截的な仕方で、腹蔵なく吐露させて頂くことにいたしましょう。

と申しますのも、本日の司会者が初めに一言触れて下すったと思いますが、実は私がこの講演をお引き受けした際、密かに決意したことがございます。自分の人生で、最も本質的な意味で一番〝御恩〟を蒙った場所が、外ならぬ「松中・深志高校」であります以上、己れの「本音」を語るのでなければ、折角お与え下さった栄えある機会を無にするばかりか、私なりのせめてもの御恩報じの念願にも悖ることになる――と本気で肚を括って参上したからであります。

そのため私はここで、我々〈おとな〉世代が「ホモ・サピエンス」としての「本源的責務」

ないし使命である、〈こども〉世代への、然るべき養育と教育に関する最も「根幹」部分、あるいは「中核」的なポイント――つまり、人間存在における「善く生きる力と勇気」を、心を尽くし、力をこめて啓培・陶冶するという、〝人間ならでは〟の最も上品な――最も品位の高い――「実践的・課題的」営為について、つい長い話になってしまいました。実はその「背後」にあります、率直で忌憚なき私の真意は外でもありません。現代日本の教育の実態についての、已むに已まれぬ切歯扼腕――というより、むしろ正確には「瞋恚」（自らの信念とは真逆の事態への純粋な憤り）を、このさい忌憚なく披瀝せざる可からずという、切羽詰った思念に駆られてのことであります。――言うまでもなく、いつ「お迎え」が来ても、いつ身罷っても不思議のない年齢に達しているのですから。

さて、わが国の家庭や学校での凄まじい教育の頽廃ぶりについては、具体的に一々事例を挙げるまでもなく、皆様すでによく御諒知の通りです。敢えて一つだけ象徴的な実例を挙げるとすれば、――もう二十年の余も前になりましょうか――偶々私が住まい致す神戸市須磨区が一躍〝全国区〟となった、所謂「サカキバラ事件」――すなわち、或る少年が近所の幼い男の子を殺害した後、事もあろうに校門前に、遺体の最も大切な頭部を曝しものにした、あの、人間として全く想像だにし難い暴虐・無慚・非道の事件が起こりました。私にとっては、実にいろいろな意味合いで、最もショッキングな大事件でした。

けれども、誤解のないようハッキリ申し添えておきますが、私自身もっとも深く悲嘆し、憂慮を禁じ得なかったのは、実は、事件そのものの度外れた残虐性や異常性ではなく、況んや慌てふためいた文科省が発出した「通達」や「勧告」類の、驚くべき「虚しさ」等々についてでもありません。そうした外面的で皮相なレベルの問題ではないのです。もっとズッと内面的に深刻極まりない衝撃を受けたのは、許すべからざる〝人間冒涜〟の所業に出会した際の、〈おとな〉たちが示した信じ難い「反応ぶり」についてなのであります。とりわけ日本を代表するような〈おとな〉達が露呈した、何とも貧相で悍しい限りの「対応」ぶりに対し、私は根本的に重大な絶望感を禁じ得ませんでした。換言すれば、人生に対する「基本的態度・姿勢」の質的な頽落に〝真率な憤り〟を覚えざるを得なかったのです。

我々〈おとな〉は一人々々、みな道徳的・倫理的責任の主体として、日頃から何時でも次世代の「若い魂」に向かって、人間としての高潔な「生き方」への熾な〝憧れ〟や強い〝驚嘆〟の念を喚び覚まし、「より善く生きる力強さと勇気」を着実・堅実に育成・陶冶せんとする〝気高く勁い〟志操を以って、日頃より、もっと真剣に意を用い、力を尽くすべきではないか。「サカキバラ」のような言語道断の、正に〝人非人〟の所業に対して、適切・妥当な〝毅然たる〟「応答」を明示してくれた人、つまり〝まっとう〟な〈おとな〉としての「責任」(responsibility)を断乎果たしてくれた人物が、果たして何人おられたでしょうか。自分自身の高潔な魂から発する、正に〝血を吐く〟ような痛い悲しみと辛さを、モロに吐露して見せた人士がおられたであろうか。己れの全存在を賭して、自己の「人間実存」としての生き方・生きざまを、直に〝露呈〟しつつ、厳粛な態度・姿勢で冷徹に戒め、自ずと「人生」に対する真摯な「手本」を身を以って実感させずには措かぬ、〝人格的迫力〟を具えた真の「おとな」が、いったい今の日本にいて下さるのだろうか。省て、甚だ心許ない限りといわざるを得ません。

当時テレビや多数の著述等を通じて、全国的に人気を博していた〝有名人〟がいました。せめて彼なぞがブラウン管の前で、〝歴〟とした「まっとう」な〈おとな〉として〝良心〟に則り、あの耳目も疑わんばかりの大痛恨事に〝絶句〟したまま立ち往生せざるを得ぬ〝無様〟ぶりを曝しつつ、――せめても内なる「万感痛哭」の念をアリノママ「涙の一雫」にでも証し見せてくれたなら、今どきの若者たちの心をも鷲把みにし、芯から魂を震撼させ、深く肝に銘ずべきものを伝授できたであろうに、――と実に残念至極のことでした。

だが、ご本人は今どきの「専門人」よろしく、いつも通り〝斜〟に構えた態度で、平々然といってのけたのです。――今も忘れは致しません――こう、いい放ったのでした。「何も吃驚するには当たりません。人間というものには、そんなことが何時でも何処でも、誰にでも起こり得ることなんですから！」と。

しかしどうでしょうか。こうした所謂「カッコいい解説」では、若者たちの胸裡にズシリと重く厳しく響くような〝真正の訴えかけ〟には、到底なり得ようはずもないでしょう。そこには「人間」同士としての、すなわち「ジンカン的」な〝実存的主体〟同士の間に、肚の底から共鳴・共感し合えるような勝義の「パブリックな心の広場」——例えば、H・アレント（ドイツの政治哲学者）が強調してやまぬ「永遠なる公共の空間」——などは、毫末も拓かれる余地は無いでしょうから。洵に淋しい限り、といわざるを得ませんでした。実際その当時私は、所属していた大学が主催する心理学研究会に招かれた際に、上述のような率直な思いをあからさまに開陳しました。そして今なお、それは変わっておりません。

ところで、二十世紀に相い継いだ第一次ならびに第二次の二度にわたる世界大戦での、深刻極まりない悲惨・無慚を体験したせいか、現代人は総じて、人間に内在する疑わしさ、おぞましさ、欺瞞性、残虐性、収奪性等々を専らに挙げつらい、「人間存在」における〝気高い〟他方の「極」を、初手から「実在」しないものと決めつけている嫌いがあります。人はそれを「ニヒリズム」と呼んで、現代人の最大の特徴とさえ称しています。

だが果たして、そうした全面否定的な姿勢・態度自体、人間自身への〝正しい〟向かい方なのでしょうか。つまり正当な自己凝視、まっとうな自己省察といえるのでしょうか。私見では、それは全く片手落ちの誤った「思い込み」であり、先に指摘した「実証主義」（Positivism）の世界観に由来する、偏狭な「思い違い」ではありますまいか。その内実は、実のところ自己韜晦であったり、自己欺瞞ないし自己逃避だったり、要するに、それらは己れの内的「狡さ」の〝逆の証し〟でしかないでしょう。

確かに人間は〝度し難い〟「業」の深い存在に違いありません。けれども、正に〝そう〟であればこそ、絶えず「自分」が気になって仕方のない「自覚的存在」として、人間は断えず翻って己れを厳しく戒め、自己自身の在り様を敢えて、根底から「革」めようと努める——そのような「自己変革」「自己再創造」の資質も、十分に保持していると私は考えます。少なくも、その精神的「変革・改新」を通じて、たえず「自己陶冶・自己向上」を重ねる真摯な〝発願〟を為し、健気にも直面な「祈り」を続けることだけは、たとえ有限・卑小な人間存在といえども、なお「本源的自由」として〝許され〟ている——それが、つまり「人間」なのではないでしょうか。

顧みれば私は、これまで西欧の「キリスト教的ヒューマニズム」の精神史的研究を六十年らい続ける中で、その系譜に連なる傑出した人物と多数「出会う」ことが出来ました。古代ギリシアは紀元前四世紀ごろのソクラテス＝プラトンをはじめとして、紀元一世紀ローマのキケロやセネカ、下っては十五世紀イタリアのP・d・ミランドーラを経て、わけても十六世紀ルネサンス期の「ヒューマニスト中の王者」と称せられた、かの著名な『痴愚神禮讃』の作者D・エラスムスと、その二十歳年下の親友Th・モアやTh・エリオット、あるいは十七・十八・十九世紀のＪ・ロックからＪ・Ｊ・ルソー、Ｊ・Ｈ・ペスタロッツィ、そして大哲学者Ｉ・カントや大文豪Ｊ・Ｆ・ゲーテ、つづくＪ・Ｃ・シラーやＫ・Ｗ・フンボルト、そしてイギリス十九世紀のＪ・Ｈ・ニューマン、Ｍ・アーノルド父子、さらには二十世紀のＲ・Ｈ・トーニーやＲ・ニーバー等に至るまで、いわば人類精神史上に〝屹立〟する名だたる思想家たちに強く惹かれたのでした。それも私の場合、これら超人たちの思想内容の継承関係そのものを辿るよりも、寧ろそれを通じ彼らにおける、それぞれ個性的な「人生態度」(Lebensführung) の方に大きな関心を覚え、その核心に共通して認められる「自己凝視」「自己吟味」の徹底ぶりに深く惹きつけられたのでした。そこから私は、己れ自身の実存的「範型」(Vorbild) ないし実践的・倫理的な「お手本」を、何とか〝まねび〟とりたいものと心掛けつつ、今日に至っております。

このように「キリスト教的ヒューマニズム」の研究に長年携ってきた身として、私なりに信ずるところを端的に披歴するならば、自らの人生に絶えず「批判的」に向き合う「心的態度・姿勢」をいつも保つことで、自己を常に〝より人間らしい人間〟へと向上させ陶冶することが、すなわち真の「人間教養」(humanitas) と称されるべきものである、と考えております。従って、世に一般的に流布している如き、現実生活には何ら役立たない、徒らに古臭い伝統的・装飾的な知識の集積に過ぎぬといった皮相な「教養」観念からは、早急に脱却を図らざるべからずといわねばなりません。つまり、真正の「人間教養」にとっては、〝人間ならでは〟の内的価値や意義に関わる「妥当性」如何について、正にリアルな弁別力ないし判断力を保持することが基本的要件であり、これこそ「人間存在」(homo sapiens：賢慮の主) に絶対不可欠の、「善く生き抜く力」としての〝徳性〟(aretē) そのものに外なりません。実にこれが、正真正銘の〝生きた人間教養〟に最も相応(ふさわ)しい必須のキーポイントなのです。

そうであればこそ最後に、皆様方お一人お一人に対して、敢えて具体的な「提案」をさせて頂きたいのです。たった今述べました〝生きた人間教養〟としての「一路向上(excelsior)たる陶冶」を着実に果たしてゆく上で、極めて〝まっとう〟な方途ないし「手立て」が現にあると思っているのです。それは外でもありません。――先刻いささか言及しておきましたように、ヨーロッパはルネサンス期の優れた「キリスト教的ヒューマニスト」たちが、挙(こぞ)っていわば「座右の銘」のごとく大切にし、各自に自分自身への真摯そのものの徹底した「自問」を〝行じ〟た際の、次のような〝自問〟のフレーズでありました。――それは、自分が「人間実存」として〝掛け替えのない〟決断を下す際に、事柄の軽重・是非・善悪・妥当性如何等を弁別したうえで、最終的に自らの純誠な〝良心の声〟に傾聴する局面で、極めて勝(すぐ)れた「試金石」となる言葉であります。

「そもそも〝人間らしくある〟ことと、当該の一件は、一体どのような〝関わり〟があるのか?」――これが、右の勝れたフレーズそのものですが、少しく敷衍(ふえん)すれば――「そもそも〝人間として善く生きること〟(to eu zēn) と、当該のこの件は一体ぜんたい、いかなる関わり合いがあるというのか?(Quid haec ad humanitatem ?)」という、――元来は自他に対する、実に真摯な「自問自答」の要請なのであります。この「問いかけ」を、事に触れ時に応じて、絶えず自他に対して徹底的に積み重ねるならば、やがては〝人間ならでは〟の、例えば「何を為すべきか、何を為してはならないか」、あるいは「変えるべきもの」と「変えてはならぬもの」等々といった、倫理的妥当性に関わる確かな弁識力が、ひいては本人独自の人生観や価値観や世界観が、自ずと内面に具わり来たるものと確信しております。

以上、私の〝本音〟のホンネを、遠慮せずに開陳させて頂きました。つい先程、皆様への「提案」としてお話申した同じ言葉を、最後に改めて心底から〝祈り〟をこめつつ、「お奨め」または「お願い」として重ねて申し上げる次第です。

「そもそも人間であることと、それは一体全体、どのような本質的関わりがあるのか?」――この高致なる問いを、倦まず撓まず諦めず、日々に〝自他〟に対して繰り返し問いかけ、それを自ずと習慣・習性にまで高める工夫と努力を、各自それぞれの仕方で実践なさって頂けるなら、まことに望外の幸せであります。あくまで「人間存在」(ホモ・サピエンス) として、御自身それぞれに清朗かつ宇宙的スケールで〝健やかさ〟を保持しつつ、端正な右の箴言を拳拳服膺なさることで、御自分の「生き方」に矜持をお持ち下さいますよう、切に冀うものであります。

それにつけても、私にいつも満腔の敬意と憧れの念を、喚(よ)び覚(さ)ませてくれるのは、先にも名を挙げた『ユートピア』の作者Th・モアにまつわる、次のような隠れた内的エピソードです。位人臣(くらいじんしん)を極めた彼が、他面で自らの内なる「篤信」に、些も怠りなきよう絶えず自戒する「よすが」にもと、密かに夏期でも――汗まみれを厭わず――ウールの下着を常用していたという、――断じて他者の揶揄など許さるべくもない――内的精進潔斎の姿勢が、私の心を捉えて離さないのです。そこからは、最高次元の「真摯なる〝痴愚〟」とでも讃えるべき、苛烈なまでの「内面陶冶」のひたむきな〝志節〟が、凛乎と輝きを放って止まないからであります。

まことに長時間の講演となりました。御無礼・御迷惑の段々、心からお詫び申し上げますと共に、ご懇ろな御静聴に更(あらた)めて、衷心より深甚の謝意を表し上げます。

皆様方お一人々々の、今後の御平安・御多祥を偏(ひとえ)に祈念しつつ、これにて失礼させて頂きます。まことに、まことに有難うございました。

〔了〕

（於　松本深志高校「教育会館」　平成二十三（二〇一一）年八月二十日）

# 三 「活ける教養」の磁場
## ――信濃「木崎夏期大学」の九十周年に際会して

### まえがき

顧みれば半世紀の余も以前のことになるが、まずは、私と木崎夏期大学との最初の「出会い」から始めよう。昭和二十五・六年ごろだったと思う。まだ松本の深志高校生であった私は、はじめて「木崎夏期大学」を聴講させていただき、まさに「眼から鱗（うろこ）」がはじけ飛ぶような衝撃を味わったのであった。今もって忘れ難い、高度に知的な内容の講義の数々の中でも、とりわけ「活きた思想」とは何かを強く実感できたという意味で、まさに象徴的ハイライトだったのが、フランス文学の泰斗辰野隆によるそれであった。

きちんと七三に髪を整えられた、あたかも老舗の大番頭さんのごときお顔（かんばせ）から、登壇の後おもむろに発せられたのは、紛れもなく、あの懐かしい名訳――「これはこれガスコンの騎兵隊、率いる隊長ガスコン・ド・カステル・ジャルー」との冒頭句に始まる、例の『シラノ』――そっくりのリズミカルな名調子であった。一瞬なぜかホッと嬉しくなったのを思い出すが、その折の演題は、たしか「フランス革命の話」であったと記憶する。ダントン、マーラー、ロベスピエールと革命の大立者の話が進むうち、やがて夫々の人物の織りなす色恋沙汰にも説き及ばれ、遂にいつしか、ラテン系の女性とアングロサクソン系の女性との体躯・体型の違いにまで、話題が転ずるといった融通無碍ぶりであった。アレよ、アレよと唯々夢中で聴き惚れているうちに、満堂の聴衆を魅了した名講義が、万雷の拍手とともに終ったのであった。

ようやく一息入れることが出来、百八十畳敷きの「信濃公堂」いっぱいに吹きわたる緑風を楽しみながら、高い吹き抜け天井に掲げられた幾多の碩学・名士の墨痕を仰ぎ見ていると、やがて嘴の黄色い青二才の私にも、講義全体の趣意が自ずと浸みとおるように、腹のうちにスックリ納まる気がしたのである。一般に近代民主々義の政治制度を拓いた輝かしい「偉大な歴史的事件」と謳われるものも、その陰で実に多数の名もなき男女が運命に翻弄されつつも、なお精一杯それぞれの人生を生きていたのである。その重い事実に思いを馳せ、思いを潜め思い遣ることを忘れてはなるまいゾ。総じてあらゆる場合、人々が営む喜怒哀楽の種々相を可能な限り誠実に掬いとろうとする〝心の姿勢〟こそ、われわれ「人間」にとって肝腎要(かんじんかなめ)ではあるまいか。――大略このようなメッセージを、あの独特の軽妙洒脱な語り口の〝向こう側〟からヒシと感じとりながら、帰路、私は内心しきりに叫びつづけていた。「こりゃ、スゲーや！　これが大学だ、これこそ〝大学〟というもんズラ‼」と。

今にして惟(おも)えば、このときの〝ワンダー〟が、この飛びきりの感動と驚きが、私の夏期大学の「原風景」に外ならず、その後私が辿ってきた教育学者としての道のりの、いうなれば原点の一つであったことは間違いない。

# 一

右のように、私にとって木崎の夏期大学は最初の出会いからして、講義内容の〝質の高さ〟という点で格別の場処であったが、加えて、何かご縁があったのでもあろうか、創立七十周年記念の昭和六十一年いらい、算(かぞ)えてみれば今日まで早や二十年もの間、私は理事の任にあたるとともに講師の役も十三回お引きうけしたことになる。しかもその間、毎夏欠かさず訪れたくなる程、ここの大学には不思議な晴朗の気が漲っており、お陰でその善美(カロカガチア)を存分に享受できる幸せに恵まれている。というのも、文字通り「縁の下の力持ち」として各種の細々した運営・管理の仕事に献身して下さる「北安曇教育会」の先生方と、日々親しく交わりを重ねることで、私は正しく心身とも「いのちの洗濯」をさせてもらっているからに外ならない。

そこには、創立いらいの確かな〝伝統〟として、あの物心両面で困難を極めた第二次大戦下でも守り続けられてきた、一貫する「精神」が厳として存在している。ひたすら「おらが大学」のために力を尽くす醇朴な郷党的気風、あくまでも「本もの」の人と学問を求めてやまぬ純粋な憧れと勇気、その衿り高き理念・理想への揺ぎない意志と情熱――表現はどうであれ、要するに真摯そのものの「志一つ」で、唯それだけで人々が勉め、物が集まり金も動くといった体（てい）の、他所では想像もできない正真正銘の〝ボランティア〟共同体が、清々（すがすが）しくも品位あふれる活動を続行しつつあるのである。

ところで、「われらが大学」の右のような学問的ならびに人倫的な、高度の内容・実質を長い間つぶさに見聞きしてきた者にとっては、そしてまた、なればこそ愛着も思い入れも一方ならぬ身としては、この大学の法形式上の設立母体であり事業主体である――しかし実質的には、両者一体で企画・運営・管理に当たる「丸ごと一つ」の組織体である――「信濃通俗大学会」について、これまでずっと、大きな疑問を抱えてきたことを告白しなければならない。否、むしろ一種の抗議にも似た〝抵抗感〟に悩んできたといった方が正直であろう。それというのも、われわれ現代人の語感からすれば、「通俗大学」という呼称には少なからず違和感を覚えるからである。因みに、開講（大正六年）いらいの錚々たる講師陣を一瞥しただけでも、到底〝通俗〟なんぞとは評し難い壮観ぶりに、誰しも〝瞠目〟せずにはおれないであろう。あるいはまた、あたかも禅宗の僧堂か、かつての藩校のごとき佇い（たたずまい）の講義棟が、創建当初から——単に講堂ではなく——「信濃公堂」と銘打たれた〝一事〟を以ってしても、〝相当な〟謂れがあってのことと察せられる。そこからはあきらかに、創設関係者たちが抱いていた並々ならぬ気宇・気概の大きさ、理想・衿持の高さが、自ずと読みとれるはずであろう。してみれば、「通俗」とは何ごとぞ！　という不審の念が湧くのも、けだし宜（むべ）なるかなというべきであろう。

このように、いま各地各所で流行の所謂「カルチュア・センター」や「市民開放講座」なぞとは、元来まったく〝類〟を異にするユニークな存在が、わが「木崎夏期大学」なのである。期間限定ながら——頭初から自然・社会・人文の三学間領域にわたる——「綜合大学」としての伝統や、人間の〝尊厳〟を守り通さんとする「理想主義」「自由主義」の建学精神は固よりのこと、そもそもの「草の根的」発想自体も、その高邁な趣旨・目的も、そして学問的内容や水準に関しても、この夏期大学が唯一別格の存在であることは、天下周知の事実といってよい。にも拘らず、敢えて「通俗」を名乗る以上は、そこに何らか然るべき積極的な根拠があってのことではあるまいか。もしそうだとすれば、それは如何なるものなのであろうか。

この問題については、不思議にこれまで十分語られた例（ためし）を知らないので、今回の九十周年記念を機会に、少々私見を披瀝しておこうと思った次第である。そこで、あらためて木崎夏期大学の創建当時に溯り、――「天の時、地の利、人の和」が相合したところに成ったと称せられる――この事業に直接関与した主要な人士たちが抱懐していた理想・構想・意図などについて探求することにしよう。それらが奇しくも見事に習合して、そこにいわば結節点として成立した「信濃通俗大学会」なる名称の原義が、抑々(そもそも)どのような意味内容のものだったのかについて考察すること――実はこれが、やがて本稿の中心的課題となるであろうが、それに先立ってまずは予備的考察が必要であろう。

## 二

本邦初の夏期大学である本学が、山紫水明の木崎湖畔に呱々の声をあげた当時の世界は、第一次世界大戦が膠着状態に陥り、ロシアでは革命が勃発、またヨーロッパ各国では各種の社会運動・婦人運動なども目立ち始めつつあった。他方ヨーロッパ思想界では、十九世紀後半いらいのキェルケゴールやニーチェに代表されるニヒリズムを背景として、とくに近代戦争の悲惨と残虐を目のあたりにしたツバイクやシュペングラーらが西欧世界の崩壊・没落を厳しく指弾したのであった。それに引きかえ、教育の方面では各種の革新的動向が活発に見られ、一種の教育ブームが現出した。各国の学校では「児童中心主義」を標榜する種々の「新教育運動」が急速に伝播する一方、多種多様な「成人教育」ないし「社会教育」も急展開をみせるようになっていた。こうした教育熱の背後には、実は近代社会を貫く合理主義・機械主義に対する批判が伏在しており、それが却って、革新的な教育の試みに人間性回復の悲願を託そうとする情熱となって湧出したと見るべきであろう。

ところで、通常の学校教育の枠外で顕著な新しい動きが見られたのが、社会教育ないし成人教育の分野、とりわけ「大学拡張」(University Extension)の運動であった。その中でも、特にわが木崎夏期大学の発足に関わって注目したいのは、イギリスの「労働者教育協会」(一九〇三年設立)による新たな「民主的教育実験」たる「綜合大学スタッフによる個人指導制学級」(University Tutorial Classes)である。ケンブリッヂ大学の経済史家として高名なR・H・トーニー(『平等論』の著者としても有名)が、一九〇八年の開設いらい手塩にかけて主導しただけあって、この新しい試みは忽ち「予期以上の成果」をあげ、一二〇年代初頭には北部イングランドを中心に、すでに計一四五カ所において約三千五百名の労働者学生が、もっぱら人間性陶冶のための勉学を続けるようになっていた。

この「庶民の綜合大学」(People's University)とさえ称えられた「大学スタッフ個人指導制学級」とは、純粋に学問を愛する成人労働者たちの教育要求に真正面から応えたもので、いかなる職業的目的とも無縁の、専ら「人間教養のための高等教育」の場であった。階級構造を色濃く反映しているイギリスにおいて、アカデミズム最高水準の教育を万人に開放した点では、隣国の「コレージュ・ド・フランス」の特異な伝統にも相通ずる施設といえよう。オックスフォード、ケンブリッヂ、ロンドン等々、名門各大学が任命する優秀なテューター（個人指導教師）たちの手厚い指導のもと、受講生たちは自らの志望する学問分野ごとに、ひたすら人間修養のため知の追求に勤んだのであった。しかも、その学問的水準は極めて高く、当時の「教育庁」（現、教育・科学省）派遣の査察官が、報告書の中で「最高のアカデミックな著述と比べても何ら遜色のない論文をものす学生もいる」と絶賛した程であった。

さて、イギリスでの右の如き高度な人間教養のための成人学級と、わが木崎夏期大学とを対比してみる時、両者の間には、理念・目的・対象・基本性格等をめぐって、極めて高い共通性、類縁性ないし符合的関係が認められるように思われる。換言すれば、発足時の夏期大学が右のトーニーの「チューター制学級」から、少なくも理念的な影響ないし刺戟を受けたであろうことは、けだし想像に難くないところである。まだ文献的に実証は困難ながら、そこには夏期大学創建の最たる恩人の一人、後藤新平（二カ月後、寺内内閣で副総理格の内相、兼鉄道院＝旧国鉄＝総裁）と、そのブレーンらの影響を色濃く感ぜずには居られないからである。以下では、その点も含めつつ、彼我両者の対比対応から透けて見える、わが夏期大学の本質的特徴・特質について考えてみることにしよう。

## 三

風光絶佳の地を選んで、わが木崎夏期大学が開講したのは大正六年、一九一七年の八月一日のことであった。これは、先に見た「大学拡張」という視点からすると、意外や世界的にも可成り早い時期に属するのである。だが周知のように、わが国でそれが頻りに唱えられるようになったのは随分と遅く、いわゆる「生涯教育」「生涯学習」が声高かに叫ばれるようになった七〇年代以降のことであった。世界で逸速く成果を挙げたイギリスでも、先に見た通り本格的な「大学拡張」は一九一〇年代のことであった。してみれば、遠く極東の地に在りながら、木崎夏期大学は極めて先駆的な位置を占めているといってよい。思うにそれは、正に奇跡的な幸運に恵まれたからである。すなわち、端倪（たんげい）すべからざる見識と高い志と先見性とを兼ね具えた、実に幾多の人士たちによる知慧と協力と支援の賜ものだったのである。

第一にクローズ・アップさるべき人物は、夏期大学創建の「言い出し兵衛」であると同時に、その青写真の主たる策定者でもあった平林廣人（ひろんど）である。当時、北安曇教育会所属の最年少小学校長（二十九歳）であった彼は、かねてよりデンマークにおける農業と教育の振興による「国づくり・人づくり」に強い関心を寄せ、その独自の「国民高等教育施設」（Volkehojskole）からヒントを得ていたのであった。彼の持論によれば、教師として良い子どもを教え育むには、まず以て立派な「大ども」を教育する必要がある。その「大ども教育」の具体的構想を、彼はよりより仲間内で温めていたのであった。自然の恵みゆたかな田園の中に、大学レベルの知識と教養を具えた一般成人の育成を目指すべき、高度な教育施設の開設を目論んでいた。これに共鳴した有志校長らを代表して、大正五年三月、信濃教育会の機関誌に、彼はその具体的内容を盛り込んだ〝檄文〟を発表した。題して「信州大学の第一歩として夏期大学の開設を促す」であった。これに対する県内各所からの好意的反響が相次ぐ中で、折しも、自らが総裁を務める「通俗大学会」の講演会で来信中であった先の大政治家後藤新平と、平林は幸運にも面会する機会を得たのであった。彼が自ら唱える「サマー・ユニバーシティー」計画の骨子を熱く語ったところ、忽ち両者は意気投合、その場で後藤は設立資金一万円（当時の小学校長給与の二十五年分以上）の調達を約束、ここに木崎夏期大学は実現へ向かって大きく歩を進めることとなった。

第二は、いうまでもなく、大恩人たる後藤であるが、彼は「時代の先覚者」と仰がれるほど、並外れて国際的視野と先見の明に富み、かつ知的好奇心も極めて旺盛であった。加えて彼の傍らには、思想面での側近中の側近で、しかも「通俗大学会」の会長であるとともに、木崎夏期大学発足時には「信濃通俗大学会」の評議員にも就任した第三の人、新渡戸稲造（第一高等学校々長、東京帝国大学教授）がいた。英文の著書『武士道』によって夙に国際的にも名を馳せていた第一級の学者・教育者であってみれば、彼も後藤と同様、フランスの著名な高等教育機関「コレージュ・ド・フランス」は固より、先述のイギリスの「大学チューター学級」についても、かなりの知見を有していたと考えるのが自然ではあるまいか。換言すれば、先のヨーロッパの先例に共通している特徴――すなわち、関心ある万人に対して門戸が開かれ、綜合大学としての高度な教育水準を誇り、しかも入学試験も卒業試験もなく、したがって一切の資格授与とは無関係であり、加えて教授は二度と同じ講義を繰り返さない不文律がある等々といった主要な特徴――について、後藤にしろ新渡戸にしろ確実な情報を得ていたと見て差しつかえなかろう。

なお、ここで是非とも付言しておきたいことがある。残念ながら一々ここに氏名を掲げる余裕はないが、右に挙げた海外の新しい教育動向に明るい三人の功労者以外にも、優れた先見性と識見をもって木崎夏期大学創設に真実一路、それぞれの立場で支援・協力を惜しまれなかった志篤き方々が多々おられたのである。なればこそ、この夏期大学が世界的にみても極めて早い段階で出発できたのであって、この「人の和」の測り知れない恩恵を、われわれは胸にしみて忘れてはならない。

さて、右のような先駆性に加えて、わが夏期大学が既にそのマスター・プランの段階から、明確な理念として「万人に開かれた自由な綜合大学」を志向していたことを指摘したい。先述の平林による檄文「夏期大学の開設を促す」には、その目的について次のように明記されている。本大学は「千古の昔からの自然を講堂とし」、「自然科学、社会科学、文化（＝人文科学）の三本立て」により「天下第一級の蘊蓄と識見とを中心とする最高の学府として、志ある青年・壮年が……自由なる研鑽討究」に勤しむ時と場を創出するものである。これによって「ただ声のみの大学に非ず、よく全信州を負うて立つの人物を生み出す根元たらん」とす、と。しかもそこでは、官私の各大学の学生のみならず、「意を達せず野にある志学の徒、時には医師、老農の群れ、文芸者、教育者あるいは実業実務の人」等々に対しても広く門戸が開放され、これらの学生には等しなみに「自ら欲する講座を選択して研鑽の途を講ず」べきことが要請されている。このような——誰であれ真に学びたい者がひたすら自由に学ぶという——基本理念が、九十年を経た今日まで一貫して堅持されていることは断るまでもない。

## 四

ところで、右の自由な「学び」と関連して、わが夏期大学の教育が創建頭初より、抜群の「質の高さ」を維持していることについては、既に少しく言及しておいた通りである。この伝統について、朝日新聞（一九六六年）は次のように紹介している。

「どの講義もかなり専門的で、万人向きの教養講座からは遠い……その内容が大学院なみなのには驚いた。……つねに第一流の学者を講師に選び、学問的に高度な講座を続けてきたこと、しかもそれが独自のアカデミズムの伝統となっているところに、真の面目がある」と。けれどもそれは、専門分野における高度な学術的内容を講じているという、ただそれだけの単純な意味ではあるまい。

逸早く平林が最初に描いた大学の青写真の中で、「真の博学碩儒と直に接し、最高の学術と人格にふれて、何れにも偏せざる修養の道を講ず」べしと強調している通り、ここでは今でも絶えず、講師と受講生との間に見えざる緊密な人格的交わりが成立しており、それが相互の人間性陶冶に自ずと繋がっている美しい現実が存続している。昭和四十年の一受講者、北原説夫はいう。「夏期大学には、日ごろ忘れかけているある種の緊張感がある。それはむしろ快感となって全身をゆさぶる。一つ一つの講義に真剣に耳傾ける聴衆の真摯な態度からか、学問への強い憧憬からか、いや、それぞれの学者のもつ深遠な思想や広く豊かな学識に魅せられた心から生じるものなのか。とにかく、そこに身をおくだけで、自己形成の上に血となり肉となるようなものが充満している。私はこうした雰囲気がたまらなく好きだ」と。

このことに因んで、さらに指摘しておきたい事実がある。この大学における「独自のアカデミズム」の核心に在るところのものについてである。総じてここでの講義には、いかなるテーマのものであれ、究極的には「人間存在」(human being：人間が人間らしく在ること、生きること)を大事にし、その視点から常に発想・論究しようとする共通の〝姿勢・態度〟が窺われる。今もって語り種となっている辰野隆、五味智英、中村白葉、今井登志喜などの名講義が差しずめその代表格であろうが、なべてそこには、基調重低音のごとくに人間存在をあくまで尊重しようとする理想主義が貫かれており、これが受講者の魂を惹きつけてやまなかったのである。だからこそ、今は亡き元理事長の池上隆祐も、密かな自負をこめて次のごとく述懐しているのであろう。「この大学が戦前戦中を通じて弾圧を蒙ることなく来たのも、時流時勢と一定の距離を保ちつつ、真に人間そのものを見凝めようとする立場から、問題を取り上げる構えを崩さなかったからだ」と。そして、先のロシア文学者として名高い中村もまた、こう述べている。「ここには、人間トルストイの〝誠〟の生き方に共通するものがある。この夏期大学こそ本当の大学だ。講習生も所員も一体となって、何かを求めている。長く続けてもらいたい」。——この言葉を遺して、彼は正にこの大学で天寿を全うされたのであった。一九七四年八月六日、「生きることと死ぬこと」と題するシンポジウム対談を了えられて直後の悲劇であった。

ともあれ、このように大学全体にわたって、ここには人間の〝誠や善美〟を求めてやまぬ雰囲気が充ちている。全霊で已れの思想を語りかける講師の面ざしからも、一心にきき入る聴講生たちの背中からも、そして便所掃除から風呂焚き、賄い等々、裏方役の一切をこなす所員たる小・中学校教師の方々の起ち居振る舞いからも、一種「求道的」な心情・風情が香気のごとく立ち昇っている。しかもそれが、〝清らな地下水脈〟のように今日まで一貫して受け継がれ続けているのである。その意味で、わが夏期大学には活き活きした人格共同体としての真正の「コミュニケーション」(価値・理想・エートスの共有)が、厳として存在しているのは間違いない。こうして、本ものの「学びの場」だけが有する質の高い気風、別言すれば、学問による人間教養の〝現場〟としての自然な品位・風格――これが、すなわち木崎夏期大学の真骨頂というべきものではあるまいか。

## 五

さて、こうして見てくると、わが夏期大学は「勝義の(綜合)大学」(university in par excellence)と呼んでよいであろう。大学の「原点」「原質」とでもいうべき本質的特徴・特質が、凝縮されているからである。そもそも大学とは、あれこれ特定の専門職業のための知識や技能を習得する準備教育機関ではなかった。学問研究を通じて、最終的には人格の高潔性・精神の高貴性・心情の純粋性・理想の高邁性等々、要するに〝秀れた人間性〟を涵養・陶冶すべき教養道場のごときもの――それが「大学(ユニバーシティ)」本来の姿であった。したがって、「世の中の善と悪とに能く耐え〟て、人間としての尊厳ある人生を生き抜くため不可欠の諸々の「徳」(virtues, Tugenden：善美なる勁い力)を体得すべく、ひたすら学ぶ者こそが真の「大学生」だったはずである。この観点からするならば、木崎夏期大学は、真の大学教育の使命とは何か、真の大学生の学びとは如何にあるべきかについて、改めて〝問い直し問い糺す〟さいの——少なくも日本における——〝活ける〟具体的な指標であり、同時に〝原理的な範型〟でもあり得るであろう。今や現実に、そのような実質と意義と資格要件を擁している無二の存在が、わが夏期大学であるといっても過言ではあるまい。

ところで、以上のように主として西洋との比較で特徴を言葉で表現してみると、何やら木崎の夏期大学が派手々々しく、大仰な印象になってしまうのが〝不本意〟でならない。決して煌やかでも事々しくもなく、いうなれば「洗いざらしの木綿」のごとくに、ごく地味で「まっとう」で清々しい性格が、この大学の中核的美質だからである。そこでは個々人が活き活きと息づきながら、しかもなお全体としては、淳朴なうちに自らなる高雅で静謐な趣が深い——これが本来の面目なのである。

では、それは一体どこから由来するのであろうか。

先程らい私は、この大学における「独自のアカデミズム」の実態・実質について述べてきた。別言すれば、決して高踏的・講壇的アカデミズムではない所以を語ってきた。端的には、かの

「ク・セ・ジュ」（Que sais je ?：私は何を知るか）で有名なモンテーニュの、次の言葉がこのさいピタリ当てはまるであろう。「私が学ぶのは、私自身について知るための学問、すなわち、よく死に、よく生きることを教えてくれる学問を求めるからだ」。――ここに見られる学問観・人生観は、畢竟、「知行合一」、あるいは「観照（テオリア）」と「実践（プラクシス）」との融合・統一といった、必ずしも洋の東西を問わない普遍的理念に基づくもの、と一応は理解されてよいであろう。だが、これらは孰（いず）れも、人間存在における「知」と「行」との二分法的概念をまず前提し、その上での統一・合一を二次的に発想している。それに対して少々別の、日本的なニュアンスの濃い人間存在の〝真実〟が在り得るのではなかろうか。否、そうした別の捉え方が現に存在していたのではあるまいか。

実はそれを探ることが、以前（第一節）に問題提起したままになっている、信濃通俗大学の〝通俗〟なる語義に関わる「残された課題」なのである。すなわち、この言葉ないし概念の〝元来の含意〟はいかなるものだったのであろうか。以下では、そこに照準をおいて論究を進めたい。

## 六

木崎夏期大学の事業母体たる「信濃通俗大学会」が発足したのは、大正六（一九一七）年であった。後藤が先述の平林との約定を現実化すべく興した同会には、理事として信州出身の澤柳政太郎（元京都帝国大学総長・文部次官）、加藤正治（枢密顧問官）、伊藤長七（東京高等師範学校教諭）が就任し、評議員には、通俗大学会総裁の後藤、同会々長の新渡戸と、貴族院書記官長の柳田國男（後に独自の「民俗学」を樹立）をはじめ、今井五介、藤原銀次郎ら一流の財界人、その他各界の名士が多数名を列ねていた。

これに先立つこと十年、早くも後藤は「学俗の調和」と題する小文を公にして、大略次のように「平素より」の自説を展開している。すなわち、現今の学者たちに、果たして「学俗の一致調和を図り、一般日本国民の向上発展を計らんとする熱誠ありや、国民薫陶の任に当たる覚悟在りや」。専門の学術用語や一般人には難解すぎる漢語を衒ったり、余りに高踏的な言辞を弄したりの現況は嘆かわしい。「かくの如くんば、通俗何かあらん。社会一般の人々を学問の恩恵に浴せしめること能わざるなり」。もしも「学者と俗人との調和」が得られ、誰が学者か誰が俗人か見分けがつかなくなるようになれば、「学問の功徳は人生日常のことに及び、国民の品格高尚ここに一変し、社会の良風美俗ここに完成を見るに至る」であろう、と。

ここに、後藤の説く「通俗」の意味は明らかである。そこには、低水準で内容稀薄といった軽蔑的含意は一切ない。文字の通り「俗に通ずる」、すなわち「一般社会にも十分通用し、浸透し得る」学問を奨揚しているのである。それゆえ別の講演で、彼はこうも説いている。学生とは「ただに学校に居るもののみではない。商家や農家の子弟も、官吏や公吏も、天下の青年は悉く学生だ。吾輩のごときも、頭の白くなりかかった学生だ」。そして、このような志学の徒が、はたまた「通俗の学」そのものが目指すところは、「古賢の文を読み、自然の理を究めて、時あって大いなる貢献を社会に致す」にあるのであって、その結果、国民一般の人間陶冶が十分達成されることになれば、「日本は初めて世界にたちて恥ざるもの」といい得るであろう、と。

全く同じ立場から、彼はまた、真に通俗の学を代表する理想の先達として、福澤諭吉を讃える文章も残している。「先生は決して世俗の事を忘れなかった。如何にもして学問の光、文明の恩沢を、一般社会にまで行きわたらせやう」と奮闘努力したのであった、と。

さて次に、台湾総督府時代（一九〇一年）以来後藤といわば盟友の仲ともなった、新渡戸についても触れておかねばならない。〝デモクラシイ〟を「平民道」と訳出し、「みんなに理解してもらえないような言葉は使わない」と常づね広言していた彼は、第一高等学校長、東京帝国大学教授の時代を通じて、雑誌や新聞で「学俗接近の急務」を熱心に説き、一般読者の啓発に努力を惜しまなかった。「車曳く人、柴刈る野の人」にも通じるような学問の必要を訴えたが、そのさい何よりも個々人における主体的・自発的動機を重んじ、最終的には「個人の人格を高尚ならしめる修養」を教育最高の目的とした。つまり、今風の用語では専門教育よりも一般教養を、――彼自身の言葉では――「専門のセンス」よりも人間としての「コモンセンス」の涵養を、もっとも重要視したのであった。こうした人格主義・教養主義という面でも、新渡戸と後藤の学問観・教育観は軌を一にしているといってよい。

しかも、学俗の調和ないし接近を図ることは、単に教育上の問題にとどまらず、国民・国家としての日本国全体の発展向上にも資するところ多大だとする所論でも、両者共通であることはいうまでもない。こうして見るならば、そこには――後藤・新渡戸は勿論のこと、福澤をもふくめて――「通俗の学」が、知的にも人倫的にも人を真善美へと啓培するのみならず、やがて経綸をも指導する公的実践性をもつべしとする、陰の主張も見え隠れするようである。そうだとすると、わが夏期大学の講堂が、後藤をはじめとする創建者たちによって、敢えて「公堂」と名付けられた密かな意図や志や願望の一端も、必ずしも不明ではないように思われる。逆のいい方をすれば、わが大学の「公堂」なる呼称のうちに、「通俗の学」がもつ政治的・社会的意味でのプラグマティズムの真意が、象徴的に反映されているとみることも可能であろう。

## 七

けれども、木崎の夏期大学における「通俗」とは、果たして以上のごとき意味内容だけのものであろうか。そこで、さらに問うてみることにしよう。もっと別の次元における「通俗」の意味が、そこには認められるのではあるまいか。そして、それとの連関で、「公」についても何らか新たな展望があり得るのではなかろうか。――以下、これらの問いについて考えてみたい。端的にいおう。以上に言及した意味合いとは全く異なる、格別の「俗」という要素(エレメント)をわれわれの大学に付与した人物は、誰あろう、かの「民俗学」の生みの親、柳田國男であると思われる。この勝(すぐ)れて日本的な学問の開拓者が、外ならぬわが信濃通俗大学会の初代評議員の一人であったことに着目して、その思想的影響について関心を寄せた方は少ないのではあるまいか。柳田門下と呼ぶより寧ろ昵懇(じっこん)の間柄であり、小品ながら柳田國男論をものしたこともある元理事長池上隆祐も、そしてまた、その間の消息を多少はご存知の前理事長白木博次も、共にはや鬼籍に入られたことは返すがえす残念でならない。ここでは、全くの素人ながら私見を簡述しておこう。

「俗」とは、本来は人間における「ならひ」、ないし「ならはし」であって、在来の風習・慣行・仕来たりを意味し、今日では主流となっている――「卑しい」とか「低い」とかいった――「雅」の対語としての意味は、二次的・副次的に派生してきたものに過ぎない。つまり、人類が太古の昔から長く重い歴史を閲しつつ、人間としてのさまざまな営為を積み重ねて来た結果、そこに徐々に形づくられてきた「習俗」「風習」「習気」の謂いなのである。その意味で、むしろギリシア起源の「エートス」（Ethos：倫理的な心情・心術・気風）やゲルマン系の「ゲジィットゥンク」（Gesittung：倫理的習俗）、あるいはアングロサクソン系の「フォークロア」（folklore：古くから伝わる民間伝承的道義）などと同種・同質のものといってよい。すなわち「俗」とは、人間の極く日常的で平凡な〝生の営み〟の集積・集約として、特段目立つものではないけれど、何がしか土の匂いがするような目立たぬ微かなもの、幽けきものの内に自然に具わる「普段着の人倫」「草の根の道理」とでも呼ぶべきものなのである。これこそ実は、——否、だからこそ却ってそれは——人間存在にとって欠くべからざる「普遍人間的」（allgemein-menschlich）な、つまり平たくは「人間ならでは」の不文律ということが出来よう。

人類は長大な「人間化」（hominization）の歴程を歩み来たる中で、人と人との関係は固よりのこと、色々な動物や風や季節など、有りとあらゆる「ものごと」との関わりをもつさいの「流儀」ないし「仕来たり」を次第に築き上げ、そこに人間ならではの〝善美〟なる生き方や有り様を紡ぎ出して来たのであった。その人間存在の根源的土着性・日常性に根ざす「普遍人間的」なるものとしての人倫——すなわち、最も本質的な意味における「俗」に外ならぬもの——に対して、みずみずしく濃かな感性と逞しい想像力で接近し、繰り返し捲きかえし、思いを潜めつつ言語化しようと努めたのが、「柳田民俗学」ではなかったろうか。一見「かそけきもの」の内に宿る確乎たる「人間ならでは」の〝真なる〟もの、〝善なる〟もの、〝美なる〟ものに聡く感応する力を頼りに、例えば人間の秘やかな表情や仕種なども含め、日常生活のあらゆる局面で「ものごと」の〝いのち〟ないし〝魂〟としか名付けようのない内実に向かって、注意深く誠を以て迫ってゆこうとする探究が、すなわち柳田学の「真髄」だったのではあるまいか。そして、そこから滲み出る素朴で寡黙な優しさと控え目な〝慈み〟の気配が、読む者の心を捕らえて離さないのであろう。

近代人がいつの間にか置き忘れてきてしまった、このような深い次元の「俗」への感応力を改めて覚醒・喚起させる柳田民俗学は、それ自体が総じて、近代世界における文明・文化・学問に対する根本的な反省を迫る批判原理であると同時に、また人間の土着性・本源性を回復すべき〝再生原理〟の呈示でもあるところに、その本質的な実践性を認め得るであろう。ただし断るまでもなく、彼における実践性とは、先に福澤・後藤・新渡戸に関して指摘したごとき、政治的・社会的な次元でのプラグマティズムとは遥かに〝遠い〟ものである。つまり、彼における「通俗の学」は、明らかに人間存在論的であり、しかも宇宙論的＝生命論的背景を有し、本質的には寧ろ形而上学的でもあって、正にその意味で、いわば最高次元の、あるいは最深次元でのプラグマティズム（pragmatism：行為主義）といって過言ではあるまい。

ところで、こうした「通俗」の意味の根本的転換に伴って、柳田における「公」も当然、通常の「公」概念とは全く別次元のものにならざるを得ない。すなわち、上に見た「普遍的に人間的なるもの」、つまり端的には「人間ならでは」の善美なるものが、そのまま直ちに「公」なのであって、その概念内包は格段に飛躍・転換・深化されるところとなった。こうした柳田流の深い意味次元での「公」が、恐らくは、わが木崎夏期大学の「公堂」なる呼び名の中にも、そしてまた、以前指摘した現実の本学のさまざまな営為の端々にも、それぞれ具体的な形で密やかに反映されていると見て差し支えないであろう。互いに宇宙的な〈いのち〉を分有しつつ「まっとう」に生を営む人間存在そのものへの、真摯な憧憬と畏敬と勇気をも内包するユニークな「公」のエレメントが、わが大学では今なお伝統として活かされ続けていることの意味の大きさ・重さを、われわれは創立九十周年を寿ぐに当たり、あらためて自覚し直すことが必要ではなかろうか。けだし、二十三年前（一九八三年「基金募集趣意書」で）、かつての理事長池上が「人間の根元的権威を守り抜く理想主義」こそ「建学の精神」であって、「この精神を具現する実践の場」が木崎夏期大学であると高調した真意も、今や腑に落ちるというべきであろう。その自らに対する「位どり」の高さと厳しさを知るとき、まこと思い半ばに過ぐるものがある。

## 八

さて、以上のような議論の進展と関連して、自ずと次なる疑問に逢着せざるを得ない。世間ではしばしば木崎夏期大学の「教養主義」なるものが賞揚されているが、その〝本質〟は如何なるものなのか。一般に想定されているところとは、ずいぶん異なるのではあるまいか。この点について、最後に検討を試みたい。

ふつう「教養主義」という場合、――例えば大正期の高等学校生の間で一種のブームとなったごとき――輸入された外国の文芸や哲学思潮の中途半端で付焼刃的な知識の習得で自足するような、要するに衒学趣味や懐古趣味のことを謂うといった印象が強い。けれども、「教養」とは果たして、外国文化の適当な享受による、社会的な体面維持（レスペクタビリティ）を図るべき虚飾の博識を意味するのであろうか。

否、木崎夏期大学が特徴とする「教養主義」とは、断じてそのように浅薄皮相の代物ではない。そのことは、以上に論じてきたところから十分に明らかであろう。前節で見た通り、柳田流の「俗」は、原理的には、人間観をめぐる価値の大逆転を含意するものであった。すなわち、辛苦にみちた日常生活の只中で、なおも人としての十全な生き方・善美なる有り様を地道に誠を以って追求することが、直ちに「人間ならでは」の最も価値ある営為なのであった。だとすれば、それ自体それは、既にして「より人間的なるもの」(humaniora) としての「教養」に外ならないことになる。というのも、本来「教養」とは――しばしば誤解されているが――決して成就された静的な状態を指すのではなく、むしろ第一義的には、あくまで「より人間らしく」生きようとする積極的・継続的努力とその成果という、実に〝能動的・力動的な過程〟そのものの謂いだからである。これを〝個人〟に引きつけていい直せば、日々の暮しにおいて自らの「良心」に恥じざる生き方を常に心掛け、「より人間的に」「よりまっとうに」生きてゆく自己の人生の「基軸（プリンシプル）」を探し求めてやまぬ〝志と努力〟が、すなわち本質的な意味での「教養」なのである。したがって「教養」には、当然のことながら、自己の人生に対する厳しい内省、「自己批判」が不可欠の契機として内在していることを、このさい再確認すべきであろう。

実は、このような――日常的繁忙の最中（さなか）にありながら、その様々な苦闘を通して――自らの人生を主導すべき実践的規矩を主体的・創造的につくり上げてゆく「自己教養」「自己陶冶」の営みを、何よりも最優先で尊重してきたのが木崎夏期大学であった。聴講者個々人における、このような「生きた教養」の密かな助成と擁護を最高の課題ないし使命と心得て取り組んで来た従来の基本姿勢こそ、正しく本夏期大学の誇るべき独特の「教養主義」といってよい。確かに、各自による自由で主体的な「人間陶冶」ないし「人間教養」を高く評価し、それを最大限に尊重・慫慂（しょうよう）・支援する雰囲気がわが大学の特徴的事実であることは間違いない。その意味に限るならば、木崎夏期大学の特徴が――一部でそう評されているように――「人格主義」にあるといういい方も、あながち否定すべきではないかも知れない。ただしそれが、特定の理念や価値観に基づいた狭隘で安直な人格主義と、決して混同・誤解されない限りにおいて。上記の池上が理事長として常々、「本ものの学問・本ものの教養」と、「偽もの」のそれとを厳しく峻別し、激しく後者を斥けた所以の一つも、実にここにあったと思われる。

## 九

さて、このように見てくると、賢明な読者諸氏は先刻お気付きのとおり、先にモンテーニュを引きながら指摘した本大学「独自のアカデミズム」と、今述べた「独特の教養主義」とは、本質的に同一の意味連関に立つ特徴なのであって、むしろ同根・同質の内実の、それぞれの「相貌(かお)」ないし「位相(アスペクト)」ともいうべきものであろう。「普遍人間的なるもの」を見究める学術〝研鑽〟は、単なる知的認識に留まることを許さず、必然的にそれは、「より人間的」に、すなわち人間として「より善く、より美しく」生きる〝実践〟へと連らなりゆかざるを得ない。けだし、「自覚的存在」であると同時に「実践的主体」でもある人間は、その――「シル（知）」↓「スル（為）」↓「ナル（成）」↓「アル（在）」という――存在の根本構造によって、すべて規定されるからである。そして、それこそは正に、「人間存在」としての最たる徴標であり、人間の真骨頂に外ならないものというべきであろう。こうして、わが大学では〝アカデミズム〟と〝教養主義〟とが、詰るところ「人間教養」「人格陶冶」という究極的課題に向かって収斂しているのである。つまり、木崎夏期大学は、人間存在の「真実」ないし「実相」を知的に探究するのみならず、さらにそれを自覚的・実践的に〝行ずる道場〟でもあるのである。この点で、正にわが大学が、最も勝義の「ユニバーシティ」たる本質的特徴を堅持していることに、密かな衿持を覚えるのは私一人のみではあるまい。

ところで、右のごとき「人間とは何か」という問いが、必然的に「人間いかに生くべきか」という問いに直結するような、「まっとう」で実直な人生態度ないし気風は、もともと――あの平林廣人もその一人だった――信州北安曇の教師たちに特有のエートスでもあった。歴史的に見れば、それは明治五年の「学制」以降、熱心で真面目な教師たちが集っては、自己自身と教え子たちにとって共通の「人は如何に生きるべきか」という人生課題について真摯な省察を重ねるうち、次第にそこに形づくられてきた独特の精神風土に由来するものなのである。つまり、木崎夏期大学の素朴で気品にみちた「教養主義」に一貫して精神的背骨（バックボーン）を与えてきたものは、実は世代から世代へと着実に彼らが積み上げてきた清々しいまでの「自己修養」「自己錬磨」の慣習・伝統だったのである。このことは、このさい深い敬意と感謝とともに堅く心に銘記しておくべき事実である。

けれども、こうした真摯な人生態度が、何も教育界のみに限られたものでないことは断るまでもない。この地域をはじめ、全国各地から毎年のように参集されるいわば「常連」の受講者は、ことごとく木崎夏期大学特有の自由で豁達な「教養主義」を地でゆくかのように、日頃から己が「人間陶冶」をごく自然体で〝行じて〟おられる奇特な方々ばかりである。職業も年齢も多種多様でありながら、一様にわが夏期大学における「教養主義」を愛し、その何たるかを十分に弁えられた上で、ご自身の行動で活き活きとそれを証示して下さる方々が、現に沢山いらっしゃるのである。こうした「活ける教養」の証行者たちが居てくだされぱこそ、はじめて木崎の大学は紛れもなく「人間教養の共同体」として、また「人格的共同体」として存立しつづけている。この確かな事実も併せてここに特記し、常々心にある深甚の謝意と敬意を表する次第である。そして、そのような常連のお一人――当時でも八十路に近いお齢であった――山田やちというお名の農家のご婦人が、かつて私に何げなく教示して下さった千金・万金の言葉を紹介して、わが夏期大学における「教養」とは何ぞやを問う本節の締めくくりとしたい。

「こんな哲学めいた面倒な話を、なぜ毎年お聴きに見えるんですか」と心安立て尋ねた私に向かって、ただ一言、こう答えられたのであった。「下卑たかあネーでね！」と。この一個の「自律した人格」としての凛乎たる重い重い言葉に、私はただただ青天霹靂の衝撃をうけた。返す言葉も失ったままであった。ただ、それ以来私は、決して徒や疎かな気構えでは講壇に立つまいぞと心に誓い、それを今も大事に守っている。

# あとがき

以上、木崎夏期大学が敢えて「通俗」と謳う所以について、換言すれば、「通俗」大学としての重層的で、しかも革新的な意味合いさえはらみもつ根本的性格について、様々な角度から縷々述べてきた。このような形で「わが夏期大学」の歴史と特質について、あらためて自己凝視の機会を与えられたことは、洵に光栄の至りである。関係者各位に衷心より深謝申し上げたい。

それにつけても、今しきりに筆者の胸裡にこだましているのは、「負ふて空しふせず」という古諺である。それは色々に解釈可能であろうが、一般には、自負・自恃・矜持などを意味するであろう。然しそれが、単に他者を見下して自己をひけらかす類いのものでないことは確かである。われわれ木崎夏期大学に縁(ゆか)りある者としては、この大学の九十年に及ぶ立派な伝統を背負って、それを唯の空疎なる形骸に貶しめることなきよう、常に心して尽力すべしという意味になるはずである。今こそ、大学自身の拠って以って立つ所以のものを自覚的に見究めることを通じて、あらためて負うているものの「静かな偉大と高貴」に思いを致し、今後ともそれを無にしないための厳しい自己批判力と、まっとうに「自らを恃む」果敢な精神力とを、世代間で着実に啓培・錬磨してゆくべきであろう。けだし、伝統の継承とは、伝承されてきた形式や内容を受け身で踏襲することではないからである。そもそも伝統なるものが、かつて人々の夢と憧れの中から活き活きと創り成されてきた、正にその根源にあった創造的精神の灯を、次世代の一人一人が主体的に「わがもの」として体得・体現してゆくことに外ならない。これを今、逆に先行世代の立場に立って表現し直せば、次のようにいうことが出来るであろう。年若い次世代を鼓舞しつつ、伝統の根源に潜む「真正の人間とは何か」という問いの素晴らしさに目覚めさせ、その憧れあふれる永遠の課題に真正面から挑戦させ、そうした自発的努力を通じて彼ら自身の内面に、より善く、より美しく、より人間的に自他を形成する勇気と情熱と力を自ずと喚起・育成すること——要するに、この次世代に対する弛（たゆ）みなき陶冶的営みこそ、「伝統の継承」ということの実質的中味なのである。こうして〝人から人へ、世代から世代へ〟と次々譲り渡されてゆく、憧憬にみちた「人間陶冶」の連鎖が、つまりは「普遍人間的」な悲しいまでに愛（かな）しい宿命なのであり、然るが故に、それはまた「人類」にとって、輝かしいばかりの〝使命〟というべきものであろう。

その意味で、古稀をはるかに超えた老骨として、次の世代、次の次の世代、そして未だ見ぬさらに先の世代に対しても、私は満腔の祝意と期待と祈りをこめてエールを送りたいと思う。実は本稿そのものが、全体として筆者の〝応援歌〟のつもりであるが、その最後に蛇足ながら、敢えて細やかな願いを記しておこう。
かつてドイツの詩人は、こう詠んだ。
「唇に歌を持て、
心に太陽を持て！」と。
だが私は、それに是非〝もう一句〟付け加えたい。
「唇に歌を持て、 (Hab' das Lied auf den Lippen,)
心に太陽を持て、 (Hab' die Sonne im Herzen,)
そして魂には憧れを！ (Hab' die Sehnsucht in der Seele !)」と。

〔付記〕
一、本稿の性質上、関係各位に対して敬称・敬語は一切割愛させて頂いた。ご寛恕のほど偏にお願い申し上げる。
二、参考文献多数のため、煩雑な表示は敢えて避けることとした。併せて、ご諒承を願い上げる次第である。
三、初出時の標題は、「世代から世代へ―信濃〝通俗大学〟の意味するもの―」であった。『信濃木崎夏期大学開講90周年沿革概要』に特別寄稿として所載（平成十八（二〇〇六）年七月）。

## 四　上原良司と〈今〉を生きる
### ――「聞け海神（わだつみ）の声」七十年に因んで

＊［ミニ解説］『わだつみ（海神）の声』とは？

この書は、太平洋戦争直後（一九四六年）に出版された、戦没学徒兵たちによる、多様な遺稿の収録集である。

発刊早々から、我々若者たちを中心に国民的観敬を博し、当時のベスト・セラーであった。その開巻劈頭（へきとう）を飾ったのが、外ならぬ我ら旧制松本中学（現・深志高校）の先輩、故上原良司さんの「所感」（と題された、第三の遺書）であった。

そこには――戦況急をつげる最中とて、甚しい言論統制下で、しかもご本人は陸軍特別攻撃「振武隊」の将校の身にも拘らず――まこと真率に「人間本性たる自由と尊厳」を粛々然と説きつつ、〝敗戦〟後の日本国民が世界の人々に「伍して堂々と歩める」ようにとのメッセージが遺されている。それを認(したた)めて数時間のち、彼は一九四五年五月十日早朝、九州は知覧基地より、爆弾を抱えた「特攻」機上の人となって、沖縄沖の米国艦隊に突入・散華(さんげ)されたのであった（享年二十二歳、慶応大学経済学部在学中）。

その気高い理想と事実を正しく受けとめるべく、われわれ「松中・深志」同窓会有志が、二〇一五年の春、戦後七十年を期して、「上原良司と〈今〉を生きる会」を結成し、一年四季を通じ計四回のイベントを催した。そのメインは、長野県下の全高校生を対象に、あらかじめ用意した「資料集」に基き、各自の自由な感想文や意見文を募集したところ、二六四編に及ぶ応募を得た。こうした行事の一環として、昭和一桁生まれの老人三名による、「冬の集い」が公開市民シンポジウムとして催された。その一翼を担って私も発言したが、その折りの再録が、すなわち本稿である。

## 一 「戦中惨禍」の受けとめ

あと一カ月で私は満八十三歳になります。ですから今日は、私が考えている「本音」を忌憚なくお話しする心算(つもり)で参っております。恐らく私にとって、こうした機会は最後となるでしょうから。

顧みれば、ここまで自分を〝生かしめて〟下さった世間皆様方の有形無形の御恩誼に、何らかお報い出来ればとの一念で、このシンポジウムの一員として役割をお引き受けしました。ただし、催しの「案内状」にあった「次の世代へ伝え遺したい」といった大袈裟な意図は必ずしも個人的には持ち合わせておりません。むしろ戦争をめぐる一端を体験した者の素直な話が、皆様方の今後に、些かでもご参考になれば幸いと、ここに罷り越した次第です。

さて毎年のことながら、夏が近づくと頻りに、「戦争」の記憶や体験を〝継承〟することが、喧しいまでに言い立てられます。けれども「言うは易く、事なり難し」との諺が、ドン・ピシャに当てはまるのではないでしょうか。敗戦から七十年経っても、我々は結局のところ、「戦争」というものの、また、その対極といわれる「平和」についても、真の〝核心〟には迫り得ていないのではないか――そうした思いに駆られる昨今です。

戦争体験を語り継ぐ努力を続ける方々も確かにおられるし、他方で各種メディアも、夏になるとさまざまなキャンペーンを企画し、戦争の惨禍や悲惨を報道してきました。然し正直に申して、それらは恰かも「年中行事」か、「夏の風物誌」といった印象で終わってしまう憾み無きにしも非ず。「こんな酷い」事態や非道無残な振る舞い等々といった「客観的諸事実」だけでは、〝遠い昔語り〟と受けとめられるのが関の山ではなかろうか。

けれども、そうした「戦争」の悲惨を具さに「体験」した当の人間にとっては、そのような受けとめ方自体が、洵に情けなくも悔しくも憤ろしい、――要するに〝居たたまれぬジレッたさ〟や切歯扼腕の思いに駆られるのです。

私の手許に、いま小さな新聞の切り抜きがあります。「七十年前の秋、母と兄の被爆死」と題された短い一文です。こう書かれています。

「広島でも八月六日を過ぎると、〝何事も無かった〟かのような生活に戻る。が七十年前の秋、被爆した多くの人々が口内出血、下血、紫色斑点、脱毛、強烈な脱力感など、体に変調をきたし、為す術もなく沢山の人々が亡っていった事を想起して欲しい」と。

続いて、「父親は即死であったが、家の床下の防空壕に転げ落ちた母と兄は、再会した時点では殆んど無傷に見えていたが、一ケ月後に、その二人も口内出血、脱毛、血便の症状が出て、兄は九月二日、母も同五日に死去。病名不詳のまま死亡診断書には壊血病と記入されていた。裏山に穴を掘って、雨の中火葬に付した」。

この甚だ〝控え目〟に見える簡潔な一文から、これを書いた当人の「ナマの声」・忌憚なき悲嘆の念を、皆さん方はどこまで察知なさるでしょうか？　どこまで想像なさいますか？　これを認めた本人、T君は実は私の七十年来の友人で、「原爆」当時、お互いに「広島高等師範学校」の付属中学校一年生として、「原村」という農村（現・東広島市）で起居を共にしていた仲間です。僅か四カ月少々の同級関係にも拘らず、――あの〝特異〟な体験を共有した者同士の故か――私を今なお、「付属中アカシヤ会四十一期生」として遇してくれる友の一人です。

その彼から珍しく、今年十月のある日に電話あり、翌々日の朝刊「声」欄に、自分の投書が掲載されるとの予告でした。その際めずらしく彼が吐露したのは外でもない、――彼が敢えて「投書」に踏み切った〝真意〟についてでした。彼の兄上が逝去した命日に当る九月二日に、日頃より胸に蔵していた、止むにやまれぬ思いから投稿したものが、一カ月半の余も経って校正ゲラ刷りで送りつけられ、しかも一部変更の〝諒承〟を求めて来た。オーケーはしたものの憤懣を禁じ得ない、といった内容でした。

ここからは私の推測ないし〝忖度〟です。ほんらいT君が投稿した「原文」に、恐らくは他者（第三者）のハサミや手が加えられていたのではないか、そう私には思われてならないのです。原爆によって不條理にも、父母と兄の三名の肉身に「先立たれ」た当人の深い嘆きを顧慮するどころか、勝手に削り取られた口惜しさは如何ばかりか、察するに余りあります。

忌憚ない私見を申せば、相手（＝当事者）の心のヒダにまで深く「洞察」（insight）すること、――換言すれば〝吾が事〟として、あるいは「第一人称」の問題として受け止め・感じとるような――、要するに〝心に寄り添う〟「親身」の姿勢・態度（attitude）があってこそ、はじめて「記憶や体験」の継承ということも、〝現実に〟可能となるのではなかろうか？

## 二 「沈黙の慟哭」から

かくいう私自身も実は、原爆で大事な人々に「死なれ」た実体験の持ち主です。被爆直後の惨状をこの目で見凝め、爾後の長い歳月を、ひそかに懊悩しつづけた末、十八年間経てやっと怨讐の念から、自分を解き放つことが出来た〝当事者〟の一人なのです。

その私が本日、この場に登場している以上は、このシンポジウムの趣旨に則り、私の「実体験」と、それをめぐる己れ自身の正直な情念や「ものの感じ方・考え方」を、皆様方の前で真摯に披瀝すべきでありましょう。そうした〝世代的責務〟を果たさなければ、と心に期する処があって今ここに列席しております。率直に申しますと、原爆直後の酷たらしい事態をアリノママ語ること自体、当の本人にとっても実は〝まこと〟「ムゴイ」ことなのです。この点も、まずはご諒解いただいた上で、これからお話し申し上げることに致しましょう。

私の母は三十三歳で、また末の妹は六歳で、突如として、広島市平野町一二四番地（爆心地から約七五〇m）で、人類史初の「原子爆弾」により、二人とも〝即死〟だったと思われます。私にとっては全く不慮の大悲劇で、それを報せて下った方が去られ独りになった途端、余りのショックで私は道ばたの側溝にヘタリ込みました。

そのまま夕暮れまで、僅かに流れる水面に浮ぶ七色の油の筋を見凝めつつ、半日あまり立ち上る気力も萎え果てていた記憶があります。

私自身は当時、――先にも触れた通り――旧制の広島高等師範の付属中学一年生で、市内から二十数キロ離れた農村で、神社と寺院に分宿して、全員が名目上「出征兵士の家庭」での農作業に〝動員〟されていたのです。今にして思えば、「高師（広島高等師範学校）の付属中」は〝国立〟の中学校なので、独自に配慮した一種の「温存策」だったのかも知れません。

他方、県立や市立および私立の中等学校の下級生たちは、一斉に市内の「家屋疎開」（類焼を防ぐための、家並みの間引き）作業に従事していたため、大多数が原爆の直撃を蒙ったのでした。

それに引き換え、図らずも命拾いした私は、被爆後三日目の午前中に、広島市に立ち戻りました。市街は悉く壊滅し焼き尽くされて、比治山や広島城跡の豊かだった樹々の「緑」も一切見当たらず、只々呆然自失でした。広島駅から、普段なら見えるはずもない「似の島」と周辺の小波の煌きを遠望して、動転どころか立ち尽くすのが精一杯でした。

気を取り直して、不通となった「市電」の軌道を頼りに、市街各所に焼死された方々の屍々累々の中を、歩けどもあるけども、同じ場処を歩み続けているかの錯覚に襲われながら、ようやく平野町の一角にあった「文理大学」のアスレティック・グラウンドを目安に、崩れて焼け落ちた「吾が家」と覚しき辺りに近づきました。――その時、一人の女性の方に出遭ったのです。「人間襤褸(らんる)」（ボロ裂(きれ)のようになった人）という言葉そのものの――顔も喉も首筋も、腕や手も焼け爛(ただ)れ、至るところ皮膚が垂れ下った――そうした多分お若い女性が、私の近づく足音に気づかれたのでしょう。二石入りという大きな「防火水槽」の陰から、一瞬脅えた風情で立ち上がられたのです。

即座に私が、「付属中学の一年生です。ご安心ください」と声をかけたところ、力が抜けたかのように、その場にくず折れて蹲(うずくま)った。いかにも物腰の「床しい」感じの彼女を、何とか介護しようと、腰の水筒から幾度か水を飲ませて差し上げました。しかし、差し出したニギリメシには手を触れず、午後一杯を、照りつける日射しの許(もと)で荒い息で喘ぎつづけられました。やがて夜半に、最期の全身痙攣が起こり絶命されるまで、期せずして私が独りで「看取って」差し上げることとなったのでした。

翌朝、消防団の腕章を巻いた人々に亡(な)き骸(がら)を引き渡す折りに、何らの手助けも叶わなかった己れの不甲斐なさを悔みつつ、せめてもの思いで国防色の上着を脱いで、ご遺体に着せかけて上げたことでした。

この名も知らぬ一人の「女性」の臨終は、その後の私の内面(なか)で一種の「聖なる」空間となり、いわば〝凍れる厳粛〟とでも呼ぶべき、特別の記憶の「中核」と化したのでした。

そしてそれは、数日後に知るところとなった、私自身の母親と末妹の最期にも、そしてさらに千田町国民学校で、つい春さきまで机を並べていた五・六年次のほぼすべての同期生たちの〝非業〟の死にも、悉く直結するイメージとして定着したのでした。

　つまり、原爆で大火傷したあらゆる人々の躯から、断末魔に至る長い時間に、どれ程多量の血糊とも体液とも知れぬ液体が、断続的に土壌に染み込んでゆくものか。しかも――その際の形容し難い音とも気配とも定かならぬ幽かな空気の動きと、それに伴う得も知れぬ「異臭」は、私の嗅覚の奥の奥に染みついて、今も消えはしません。それを思うと、いつも私は耳の穴まで張り裂けんばかり狂おしくなるのです。

　こうした次第で私の「原爆」体験は、「もの心」ついてからの人生の、正に「原点」となったのでした。――あの「襤褸」（ボロ裂）同然と化した、名も知らぬ若い「女性」を、何とか救護したいと気は逸やれども、為す術もなく〝お見送り〟せざるを得なかった己れの無力さ加減。それに加え、先述の国民学校同級生たちの――未だ〝人生の夢〟を見る暇さえないまま、無残にも原子の「劫火」に焼かれてしまったほぼすべての仲間たちへの、私独り生き残ってしまった無性に「相い済まぬ」念い。そしてさらには、母と妹という血を分けた肉親の無惨極まる横死。その絶対の「遣る瀬なさ」。果ては二次放射能による、己れ自身の不調と症状への脅え。――これらすべてが相俟って、自分としては「生き残った」というより、「死に損ねた者」としての〝負い目〟、否むしろ一種の「罪障感」となって、総てが幾重にも絡まり〝怨念〟

の固まりの如きものに化したかに感じられました。

正直申して、私の青春期は、いかにも〝灰色〟であった。そうした鬱屈した状態から何とか脱却すべく敢えて「風に向って立て！」と、我が身を叱咤・鼓舞するのが精一杯でした。そうしたことで、深志高校と大学生当時の友人の方々から、幾多の善意や御好意を頂きながら、清々（すがすが）しく応答することが中々出来なかったことは、唯ただ愧（は）じ入るばかりです。今ここに七十年もズッコケてしまったけれど、この場をお借りして、改めて当時の御無礼の段々、深くお詫び申し上げずにはおれません。どうかお赦し下さい。――そんな次第で私は十八年間、三十歳で「大学人」になる頃まで、ずいぶん長いあいだ先述のような、或る種の罪障意識の中で生きていました。その頃の腰折れを一首、因みにここで――恥ずかしながら――ご披露申しましょう。

沈黙の　慟哭久し　原爆忌
狂ひて断たな　魂極る（たまきわる）生命（いのち）

あれこれ内面の懊悩を繰り返すうちに、次第に、私の心に一つの〝決意〟のようなものが生まれて参りました。とりわけ自分にとって一番〝重かった〟のは、己れ独りが生き残った以上は、〝生きて在る限り〟、あの青春以前に他界した仲間たちに、やがて彼岸でも「顔向け」が叶うような「生きざま」を、と常日頃から祈り努めることでした。

それ以降、私は大阪大学文学部で十年、京都大学教育学部で二十三年間、教鞭を執った以外に、ここ信州でも「木崎夏季大学」で理事と講師を二十五年間勤めた外、東南アジア系の留学生を対象とする奨学財団で理事と選考委員長を二十五年間、それぞれの場面で「信を履いて」努力しましたが、それらを通じ一貫して自らの〝モットウ〟としたもの――それこそは、つい先ほど申した――広島原爆で無念にも凄絶に「爆死」した同級生諸君に、まっ直ぐ「顔向け」出来るような〝生き方〟を――という、揺るぎなき「信念」ないし「志」だったのでした。

ところで、十二歳で私が運命的に背負い込んだ是非もない事情が、実はもう一つあったのです。原爆の直撃下で二歳半の弟が、小さいが故に命を失わず〝助かって〟いたのです。そのとき弟は、家の門前の右手にあった、先述の大きな防火水槽の陰でドロンコ遊びをしていたらしい。実に実に幾つもの奇跡的幸運が重って、被爆翌々日に市内の宇品署の警察官が、この幼な子の顔を見覚えていて下さり、孤児収容所へ送り出される寸前に、父親の勤め先だった旧制「広島高等学校」まで、ご親切にも自転車で背負って連れて来て下すった由なのです。そして私と再会した夜のこと、一緒に床に伏せった折りに、弟は呟くように尋ねるように、こう言ったのです。「お兄ちゃん　オッパイない（の？）」――その一瞬を、私は忘れられません。息を飲んだまま、ひたすら「一身に代えても、この子は護らねば！」と思い詰めたことでした。亡くなったばかりの母からの「絶対の預かりもの」を、丸ごと抱え込んだ私は、信州に引き上げてから旧制松本中学の一年次に転入したものの、一年間は休学して、何も分からないながらも夢中で〝子育て〟の真似事に専念したのでした。

## 三　究極の〝エゴティズム〟――戦争の根元

やがて私は、京都大学の教育学部に入学しました。学部学生の時期には、ギリシア・ローマ以来の「西洋教育思想史」一般の勉強を経たうえ、大学院の修士課程ではイギリスのJ・ロックにおける経験主義哲学とジェントルマン教育論との「内的親縁性」を論究し、次いで博士課程では、遡ってルネサンス期のヒューマニストたちを研究しました。D・エラスムスをはじめTh・モア、Th・エリオット等々「キリスト教的ヒューマニズム」の伝統と、ヨーロッパの――とりわけイギリスでの――「ジェントルマン」理想の生成と展開を主題とした研究に没頭しました。そして現在では、より広く「教育の哲学」を、就中(なかんずく)「教育人間学」の領域を研究中です。そのさい方法的には主に「解釋学的」な手法を用いることにしています。

さて、右のような研究上の経緯もあって、本日の「上原良司と〈今〉を生きる」というテーマの許でも、私としては基本的に、「人間とは何者か？」そして「人間の陶冶（教養）とは何か？」――こういった視点を中心にして、上原先輩について私なりに感じたり考えたりしている事どもを、以下でお話し致したいと考えています。

ついては、「戦争と平和」の問題も、「人間存在」（homo sapiens：叡智的存在、賢慮の主体）としての根本的特徴を中心に、考察を進めることに致しましょう。その大前提としてまず、従来の「戦争」観と「平和」観について、私なりに少し〝見直し〟ておかねばなりますまい。

つまり、これら両者を単に「二項対立」的に概念化するのでは、余りに単純・狭隘な形式的捉え方ではなかろうか。換言すれば「戦争」とは要するに「殺人・殺戮」に外ならず、他方「平和」とは「人を殺めもせず、殺められもしない」状態と見做すような、粗雑な思考様式からは、もうこの辺で脱却すべきではあるまいか――そのように考えているのです。

世界史的観点からすれば、「平和」とは――例えば古代ラテン世界の〝Pax Romana〟、あるいは現代の〝Pax Americana〟という言葉が示す通り、元来は何らかの意味での「強国の支配」下、ないし指導権の許での秩序や安定を指す事実であり、それに基づく歴史的通念を指すものであった。ずっと時代を下って、第二次世界大戦後に生じた、米ソ両大国間のいわゆる「冷戦」時代の勢力の均衡も、〝Pax Consoltia〟（国際協調による平和）と呼ばれたこともありました。これは理念的にいえば、十八世紀の大哲学者I・カントが『永遠平和論』の中で、夙に提唱していた構想の一つであり、今日の「国際連合」（United Nations）も――目下は機能不全だが――そもそも理念的にはカントによる構想の延長線上にあるもの、と観ることが可能でしょう。

してみれば、何らかの意味でのヘゲモニー（Hegemony：覇権ないし主導権）の存在を前提とし、その許での秩序形成か、あるいは覇権競争の結果としての「勢力均衡」を指すのが、すなわち「平和」の一般的概念なのです。

そうであるなら、何らかの仕方で「戦争」を回避する探求を真剣に行ずべきではないか。換言すれば、暴力や武力・軍事力などとは別種・別次元の、違ったタイプの「力」で——つまり、より高品位の「人間力」としての「徳性・徳力」(aretē, virtue, Tugend)を以って、武力による「覇権」から〝超越・超脱〟する可能性を、我々は真剣に徹底して索求すべきではあるまいか。重ねて言葉を換えれば、「人間ならでは」の〝善く生きる〟(to eu zēn)「力」たる「徳力」を育成・練磨することを通じ、軍事力や武器に代わるべき「精神的な権威」による「指導力ないし主導権」を、敢えて〝担保〟すべきではないであろうか。——それを、私は目下本気で、祈り念じているところなのです。

ところで、今このような私自身の究極的「志」について言及したのは、外でもありません。国と国相互の憎悪や敵愾心から発する、愚かしくも醜悪なまでの凶事の連鎖以外の何ものでもない「戦争」の、根本的原因は一体何なのであろうか？——之れを厳しく問い糺す必要があるからです。貧困や差別といった経済的・社会的な、つまり外的な要因が云々されていますが、私は、もっと人間自身の内奥に潜む根源的な〝傾向性〟ないし〝衝動〟たる「自己中心〝癖〟」(egotism：我欲)——〝これ〟こそが、実はあらゆる戦争や紛争の根元にあるものであると考えます。「生きもの」（生命体）としての人間の内に牢固として擢き難く〝潜在〟している〝エゴティズム〟は、しばしば「宿業」とか「根本悪」（カント：Radikalböse）とか呼ばれていますが、これが我々個々人のみならず、あらゆる「国家」においても、――かのB・ラッセルがいみじくも警告しているように――いわゆる「愛国心」（patriotism）なる美名のもとに暗々裡に潜在しております。これら公・私両面の貌をもつ「エゴ〈対〉エゴの衝突」が、チョット油断している間に悪循環を繰り返し、アッと驚く間もなく「常軌を逸」して、盲目的な唯我独尊の「狂気」へと急変することとなる。

人類史上、その最たる例証が、二十世紀における二度にわたる世界戦争でした。それは正に、人類が自らの内部に蠢く〝エゴティズム〟を双に曝け出した「狂乱」の沙汰以外の何ものでもないでしょう。わが日本でも、私が生まれた一九三三年頃からは明らかに国家も国民も、自らの内なるエゴティズムに「気付く」ことのないまま、専ら国粋主義・全体主義・軍国主義の風潮に凝り固まり、一挙に戦時体制へと雪崩れ込みました。その当時の、ある意味で滑稽千万の、同時にまた〝おぞましく〟も空恐ろしい戦争謳歌の〝熱狂ぶり〟は、私自身〝生粋〟の「良き小国民」であり、模範的「軍国少年」であっただけに、今もなお様々、実に鮮やかな恥かしい記憶として残っています。そのような、我が身自身を振り返り見て、いま痛切な反省と慚愧の念堪え難くあればこそ、冒頭で述べたような、戦争被害者への〝第一人称的〟な、寄り添う「思い遣り」や洞察と、それに基く「心遣い」「気遣い」の大切さ・必要性を、身に沁みて強く実感するのです。

しかし、その「思い遣り」「心遣い」が、単なる同情・同苦・同悲といった、いわゆる〝同情心〟(compassion：憐憫)だけに終わるとすれば、まだ不十分といわざるを得ません。真の「思い遣り」「心遣い」に加えて、さらに冷静な是非・善悪・理非・曲直についての鋭い弁識力・価値判断力が〝裏打ち〟されていなければ、十全な「思い遣り」には至らないでしょう。本当の「心遣い」には、「醒めた眼・醒めた心」が是非とも相伴っていなければなりますまい。

当方からの真実な「まこと」の心を、相手の心にまで確実・丁寧にお「届けする」ことこそが、「思い遣り」「心遣い」の真義であろうと思います。そして、この「醒めた眼」を体得するには、当然のことながら、先に指摘した「我欲・我執」(egotism)を、断乎として制御・排除する「自己抑制」(self-restraint)が、まず以って大前提となりましょう。その自己抑制のための「自己吟味力・批判力」が生まれ出る、そもそもの「源泉」としては、神ならぬ身としての「人間の有限性」についての〝謙虚〟な「自覚」ないし「謙遜・謙譲」(humility)の念が基本的に必須となります。こうした一連の倫理的な内的連関が、自ずから活き活きと身に具っている「人格」こそ、真の「教養人」(der Gebildete：陶冶された人士)と呼ばれるに相応しい人間と申せましょう。すなわち、自己を全人格的に十分養い・育て・修練し陶冶した人物の、最大にして最高の原理的指標が、即ち自・他に対する凛乎たる「醒めた眼」「醒めた澄明な心根」に外ならないでありましょう。

## 四　上原良司の思想と人柄――「醒めた眼」と「自己陶冶」

さて、お話申したいことは実に多々ありますが、時間の関係もあるので、このシンポジウムの中心テーマである「上原良司」先輩が、最期に遺して逝かれた「所感」と題された遺書について、以下に私見を申し述べようと思います。

すでに――「わだつみの会」主催による一年間に及ぶ「上原良司と〈今〉を生きる」プログラム中の「秋の催し」において、講師をされた小川幸司氏から、既に上原の「自由」思想に焦点を置いた、入念な論考が行われており、私も全面的にそれに讃同しています。わけても次の三つの重要ポイントを強調されたと了解しております。すなわち、〝自由〟とは、

(ⅰ)「仮もの」でない、自分自身の本音で「モノを考え・語る」こと。

(ⅱ)その自ら語ったことへの責任を、誠実に背負うこと。

(ⅲ)あの厳しい言論統制下にあって、なおも後世に託し遺された彼自身の「自由」思想を、〈今〉を生きる我々がどう受けとめ、実践的にどう引き継ぐか。

実は、これらの点にこそ、上原良司の「生死（しょうじ）」の意義が、すべて懸っている。

大略、こういった趣旨だったと思い、私は満腔の感動をこめて、共鳴・共感するものであります。

そこで、それを踏えて私は上原先輩における、「平和」の夢に焦点づけて考えてみたいのです。同先輩は若年にも拘らず、先に私が語った「醒めた眼、醒めた澄明な心情・心術」を見事に体現された、実に稀有なる「教養人」ではなかったろうか。そうした「上原良司」像に私が気付いたのは、実はこの春以降のことなのです。

私が『聞けわだつみの声』初版本で、その巻頭に収録された上原先輩の「所感」を読んだのは、もう六十余年も以前のこと。その当時私が強い感銘を受けたのは、弱冠二十二歳の若者が、自分のことを「彼」と第三人称で捉えていた点でした。例えば「明日は一人の自由主義者が、この世から消えてゆきます」といい切っている。その冷静そのものの「自己客観視」に驚嘆を禁じ得なかった。しかも自分の母国が、人間の本性たる「自由」を無視・圧殺する「全体主義」国家に外ならないと明確に認識された上で、いずれは敗戦国になることも予告さえしておられる。かてて加えて、ご自分の死を〝運命〟と見据え、低次元の「欲心」ないし「生への執着」をものの見事に超越・〝超却〟しておられる。その「人間実存」としての凛々しい清澄な「生きざま・果てぶり」に、若輩の私はそれこそ襟を糺し、全身全霊で讃嘆し仰ぎ見たことでした。

ところが今日、八十二歳となった自分が更めて感動したポイントは、全然別のところにあったのです。

先般、高校生諸君に対して「感想文」を請めた折に、私は参考資料の一部として、わが上原良司の「所感」と題された遺言のコピーを送付しました。それに先立ち当然、私自身も改めて幾度も精読しました。確か二回目だったでしょう、以前とは全く違った角度から、サッと閃くものがあったのです。というよりは、一種の強い衝撃が胸に来た感じでした。具体的に申しましょう。上原良司さんが陸軍航空「特攻」将校として出立なさる僅か数時間前の「所感」文に、概ね次のような趣旨の一文がある。恐らく今それを想い出される方も多いのではないでしょうか。彼は語っている。

自分は飛行機に乗っている限りは「一器械」に過ぎない。けれども、搭乗機から降りれば、本来の「自由と尊厳」を有する一個の人格だ。その意味で、最期の一刻に当たり、まずは身近な親しい人々の恙ない幸せを祈念し・寿ぐと同時に、願わくば今後の日本国民が、世界の人々に伍して堂々と「肩で風を切って」歩を進めることが出来るように、と真率な願望を吐露しておられる。

ここには明らかに、確たる而も穏やかな「死への覚悟」を踏まえ、身近な親しい人々の、そしてひいてはまた、〝日本国民〟全体の将来の「在り様・生き方」について、上原良司先輩は自らの「人間実存」としての〝究極〟の「願望」を、明確に語り・遺し伝えておられると見て差しつかえないでしょう。加えて今回、新たに判明した〝事実〟があるのを私は知ったのです。

上記の「所感」にも密かに言及されてはいるが、彼の心には生前、慕わしい「思い人」がおられたのだった。彼女が婚約したのを聞き知ると、彼は敢えて「愛の告白」を差し控えられた。そして「特攻」として知覧の飛行場を飛び立つ間際に、今は亡き「天国」の彼女との再会を〝幸せ〟とも感じつつ、悠揚として沖縄沖の空に〝散華〟されたのであった。――何という純愛！　何という深い「思い遣り」、何という優しい「心遣い」。彼は正しく「真実の人」であった。――私の魂は震えた。良司さんは若くして逝去なされたのに、人格的には立派すぎるほどの成熟ぶりで、実に奥床しいお人柄であった。正真正銘の「陶冶された人」、すなわち第一級の「教養人」であった。真正の〝ジェントルマン〟であった。それは間違いありますまい！

このような良司さんの「善意」に充ちた、人間ならではの優しい心術（＝心ばえ）を〝一つ〟の端的な言葉で表現すれば、それは紛れもなく『旧約聖書』（ヨブ紀）にいう、古くからのヘブライ語〝shalom〟に相当するのではなかろうか？

ただしこれは、「日本聖書翻訳協会」によれば、「平和」と訳出されている。然しながら、このヘブライ語の原義は、もっとズット日常的な身近で、素朴・単純な、それだけにまた、純粋かつ力強く、親身そのものの心情・心術の表現なのである。因みに現在でも、イスラエル系の人々は、「ご機嫌よう！」「お元気？」「お大事に！」「お気をつけて！」あるいは「頑張れヨ！」「幸運を祈る！」等々といった、実に「人間（ジンカン）的な存在」としての、日常的に親しく取り交わされる優しい、〝善意〟の籠った――正しく日本古来の用語では先述の「思い遣り」ないし「心遣い」の〝交わし合い〟に、ニュアンスの上で奇しくもピシャリと当てはまる言葉なのである。従って、〝shalom〟とは、「戦争」の〝対〟概念としての「平和」とか、「人類永遠の悲願」としての平和とか、ましてや「平和主義」の憲法とか法制等々といった、政治的・イデオロギー的スローガンや術語なんぞでは、本来ないものなのである。

わが上原良司が、その特攻自爆に臨んでの最期の〝夢〟、究極の〝理想〟として胸中深くに宿していたものは、決して殊更めいた〝大仰な〟「平和」の理念ではなく、ずっと身近で日常的な、心優しい「思い遣り」が、お互い同士の活き活きした〝絆の空間〟で、ゆったりと自然に引き回してくれるような、――いうなれば「草の根の平和」（grass-rooted Peace）とでも称すべきものだったに違いあるまい。――そうした思いに立ち至ったとき、思わず私が口誦んでいたのは、イギリスはヴィクトリア朝期の詩人、R・ブラウニングの「ピッパちゃんが行く」（Pippa Passes）という短い詩文であった。

The year's at the spring,
And day's at the morn;

Morning's at seven,
The hill-side's dew-pearled,
The lark's on the wing,
The snail's on the thorn,
God's in his Heaven,
All's right with the world.

ちなみに上田敏による名訳を紹介すれば、

時は春、日は朝(あした)
朝は七時
丘の片辺(かたえ)は露に充ち、
揚げ雲雀(ひばり)　名乗り出(いで)、
かたつぶり　バラの小枝を匍う
神、天をしろしめし
この世は総て、事もなし

ここにリズミカルな韻を踏んだ詩文で簡潔に謳い上げられているのは、〝天地本然〟の整々たる世界のイメージ、ないし〝宇宙像〟であり、――これこそは、上原良司が抱懐していた具体的な「平和」イメージに相通ずるものであって、同時にそれは、彼が我々後に続く者たちに〝託し遺さん〟とした究極の「志」と、正に同根・同質の情感・情念ではなかったろうか⁉――こうした思いに立ち至った瞬間、私はすべてが一挙に腑におち、魂が〝鎮もり〟ゆくのを覚えた次第です。

以上に述べた上原良司先輩の「遺志」を体して、彼と共に彼を鑑(かがみ)として、己れの「まっとう」な生き方を、どのように自ら創りあげてゆくか――それこそは今、我々が正に各自に取り組むべき「独自の課題」でなければなりますまい。その意味で、先程らい私が強調している、内面の「醒めた眼」を養い・育てる方法・方途について、最後に――ご参考までに――ここで具体的に二通り提案しておきたいと存じます。

(i) 既に説いた通り、日常生活において「人と人」との善意に充ちた「思い遣(や)り」「気遣(づか)い」を、自覚的に〝交わし合う〟ことを通じて、自・他の人格への〝真の〟尊重に外ならぬ、「醒めた眼」「醒めた心」を、自己自身の内面に養い・磨き・育てる習慣を形成すること。

(ii) 日ごろ〝関心〟を抱いている何事につけても、ルネサンス期のヒューマニストたち

と同様に、次の言葉をいわばモットーとして、「それは抑々〝人間らしく在る〟こと
と、一体どんな関係があるのか?」(Quid haec ad humanitatem ?)という根本的な問い
を、繰り返し〝自問自答〟する習慣を身につけること。

これら二つの――本質的には相互に関連し合う――習慣形成(クセづくり)が、私自身に
とっては、自らの「本領」を孜々と育て・培い・鍛え生らせる〝所以〟のものだったと考えて
おります。この「自己陶冶」(Selbstbildung)という内的営みこそ、実は「人間存在」における
〝意識改革〟の決め手であり、それゆえにまた、気の遠くなるほど遠い「平和」成就に関して
も、〈今〉を生きる〝人類〟の一員として、我々一人々々が主体的に実践・窮行すべき不撓不
屈の努力を、根底から支え導く最も高致の精神的営みでなければなりますまい。――哲学的
な教育人間学の立場に立つ私は、本気でそのように考えております。

## 五 「ホモ・サピエンス」(賢慮の主体)を生きる

ここで蛇足ながら、一言申し添えたい。以上の私の話を聞かれて、高踏的で現実性に乏しい
空論ではないか、との疑念を感じられた方々もおられるかと思います。その通りです! 私の
基本的スタンスは、そもそも〝実現可能性〟の有無を、つまり「出来る‐出来ない」を判断基

準にしているのではありません。私はむしろ「人類」というものを、次のような極めて特異な〝生きもの〟と見做しております。すなわち「ホモ・サピエンス」とは、決して生物学上の一種別としてではなく、あくまで哲学的人間学の立場に立ち、自らの独自な特徴たる「叡智・賢慮」(sapientia)を最高・最善の〝生きる力〟として尊重し、絶えず「自己省察」を繰り返しつつ、常に現状からの「超脱・向上」(excelsior)に努力すべき、洵に稀有なる「自己超越的」(self-transcending)な存在であると考えているのです。だが現代人は、いわゆる「先端科学技術」に代表される如き、操作的・技術的な知(scientia)のみを過信する余り、本来の「有限存在」としての〝自覚〟を欠いたまま、しばしば不知不識のうちに万事につけ傲慢・不遜に立ち至っている。その結果、今や「人類そのもの」の〝絶対的〟危機に直面している。

かの児童文学者として名高いM・エンデも、異常気象をはじめ様々の地球環境の激変が、今や次世代以降の人類生存をも確実に脅かしつつあるとし、その意味で「第三次世界大戦は夙うに始まっている」と警鐘を鳴らしています。なればこそ、私は人類本然の「サピエンティア」(賢慮・叡智)の再生・活性化を、心底から祈念し冀図して已まないのです。固より人間にとって意識変革は、とりわけ「価値意識」の〝革新〟は途方もない時間と努力を要する、正に程遠い一大難事です。しかし仮え、その遅々たる歩みの中途で人類の命運が尽き果てようとも、なお、あくまで「賢慮の主体」に〝相応しい〟「滅びの美学」「滅びの在り様」があって然るべきだ、と私は〝考えて〟おります。

　それにつけても、本日の私の発言の悼尾(とうお)として、ふつう「考える・考察する」と和訳されている英語〝consider〟の、もともとのラテン語〝原義〟に言及して結びと致しましょう。――〝con〟という接頭詞は、ご承知の通り〝一緒になる〟、〝合一する〟というほどの意味であり、〝sider〟とは「輝かしい星」という語意です。したがって全体としては、遠く遥(はる)か天空に美しく耀(かがや)く「星と一体化」することに外ならず、叶わぬまでも必死で高見の「星」に向かい、すなわち〝高嶺の花〟なる「理想」に〝憧れ〟、輝かしい理念を〝仰ぎ見〟、より醇乎なるものを〝思慕・愛求〟すること。ひいては、遥(はる)か気高い「星に学び、星から学び」取る――という一連の「人間ならでは」の純篤な精神活動を意味することが、――すなわち「考える、本気で考察する」の原(もと)の意義なのです。

　この〝consider〟、即ち「星」への、容易には手のとどかぬ、気高く輝く〝理念・理想〟への、止み難い純粋な憧れ・思慕こそが、正に「ホモ・サピエンス」の〝本領〟(essence：精髄)なのであり、また〝使命〟に外ならない――そのように私は考えておりますことをお伝えして、本日の私の発言の締め括りとさせて頂きます。

〔了〕

(於　松本市公開講座・あがたの森文化会館　平成二十七(二〇一五)年十一月二十八日)

# 一　教養――その思想史的考察

## 一、問題の提起

物理学出身のユニークなイギリスの文学者C・P・スノウが、現代における「人文的文化（教養）」と「科学的文化（教養）」との両極的分離の〝危険〟を訴えたことは、いまだ記憶に新しい。彼はこれら「二つの〝文化〟」ないし「二つの〝教養〟」の間の、時には嫌悪や敵意すら示しあうほど深刻な対立を克服し、両者の結合を果たすことこそ、「科学技術革命」下の現代における最も根本的かつ焦眉の課題であると力説したのであった。われわれ人類全体の命運さえ、この一事にかかっていると説くスノウの悲痛なまでの訴えかけが、ヨーロッパ思想界に大きな反響を呼んでから既に二十年ちかくを閲た今日、事態は改まるどころか、二つの「教養」の乖離・分裂はますます深刻の度を加えつつある。否むしろ、たとえ「ただ形ばかり」にもせよ、当時はまだ「帽子に手をやって挨拶される」だけ、なお幾ばくかは敬意の対象であり得た伝統的な「人文的教養」は、今やほとんど無視ないし忘却されつつあると言う方が、より事実に近い表現であろう。

こうした傾向は、もっぱら〝GNP〟の上昇に奔命してきた日本において、とりわけ顕著に見出される。戦後、新制大学の最大の特徴として導入された「一般教育」が、その所期の目的・理念とはウラハラに、理工系学部の圧倒的優勢のもと、過去三十年間大学教育においていわば「継子扱い」を受けてきたという事実は、ある意味で、このことを端的に物語ってはいないだろうか。「一般教育」は、もともと「学生をして偏せしめることなく、調和均整のとれた広いゆたかな教養を身につけた専門家を作らんとする配慮から出たものであって、これこそ、新制大学の根本精神に合致するゆえん」のものと謳われたのであった。しかしその実は、大学の「前期課程」二カ年間に、人文・社会・自然科学の三系列から個別の教科を各三科目ずつ、「均等に」しかし何ら相互の関連もなしに、ただ形式的・機械的に選択履修することでしかなかった。こうして、専門の学問研究や職業的技能の一面性・狭隘性を打破し、分業や専門分化に由来する「教養」の〝偏向・断片化〟に抗すべく、全体的・調和的な人間の形成を志向した「一般教育」本来の目的や理念は、科学技術の飛躍的な進歩と経済の高度成長による空前の物質的繁栄のなかで、実質的には〝全く風化し破綻〟してしまったと言って過言ではあるまい。今日の日本の大学では、もはや「教養」という言葉さえ、日常ほとんど聞かれることがない。河合栄治郎とその学生たちの時代は、たとえそれが皮相の教養主義であったにもせよ、今では遥か遠い〝昔語り〟にすぎない。時にこの言葉が口の端にのぼせられる場合でも、「教養」はむしろ揶揄や軽侮の対象としてか、あるいは自嘲や自責の対象としてか、要するに往時な「無用の長物」といったカリカチュアの意味しかもち得なくなっている。つまり、こんにち「教養」(culture, Bildung) という言葉からは、活き活きした〝より豊かな人間性の充実〟を目ざしてやまぬ人間精神の向上的・形成的な努力とその結果という、みずみずしい意味内容が喪われてしまい、ただの干からびた訓詁的知識の集積といった意味しか感じとれなくなっている。

ところで、このような「教養」の衰退・凋落は、むろん日本のみならず現代のあらゆる先進工業諸国に共通にみられる一般的現象であるが、それは本質的に「人間理想の昏迷」と深い関わりをもつ。なぜなら、「教養」とは単なる学殖や博識ではなく、一定の文化理想の生きた体得を謂う以上、個々人において追求される教養の内容は、当然時代の理想的人間像に規定されるものだからである。ところが、現在これほど教育の必要が叫ばれ、教育をめぐるほとんどあらゆる問題が喧しいまでに論議され、おびただしい教育的努力が各方面で進められていながら、しかし肝腎要の「いかなる人間を育成するか」「どのような人間を形成・陶冶するのか」という問題となると、いっこう明確なイメージが描けない。換言すれば、教育ならびに教養の目標となるべき「人間像」が、社会の通念としては存在しなくなっている。というのも、現代は、社会も文化も人間も、すべてがあらゆる面でドラスティックな変化を遂げつつある「変革の時代」（K・マンハイム）であり、過去においては自明であり安定していた在来の「良識」や「価値観」や「世界観」が、根底から覆（くつがえ）るほどの社会全体の原理的・構造的転換の時代だからである。そのため、すべての人々がひとしく認め支持するような、〃一つ〃の（単一で包括的な）理想的人間像は、もはや描こうにも描かれ得なくなっている。しかも、このことは取りも直さず「人間であること」の意味、「人間として生きること」の目的が、根本的に昏迷していることを意味する。

　現代を特徴づける主要な現象としては、まずもって科学技術の飛躍的進歩と、それに呼応する急激かつ大規模な工業化ないし産業化、さらにそれらに伴う分業化、機械化、組織化、官僚化、あるいは情報化、都市化、大衆化等々を挙げることができよう。しかもこれら諸傾向の加速度的進行によって、今や人間生活のあらゆる局面で、いわゆる「人間の自己疎外」(Selbstentfremdung des Menschen) という、人間自らにとって最も怖るべき自己否定の現象が起こっている事実は到底否定すべくもない。高度に発達した分業生産機構をはじめ、現代のあらゆる経済的・政治的・社会的諸制度にしろ、あるいは各種の科学技術にしろ、これらはすべて、われわれの生活を支える物質的基盤として、ほんらい「人間」にとっての「手段」たるべきものであり、諸々の「手段」の連鎖が複雑で巨大な体系を構成している以外の何ものでもない。にもかかわらず、本性上決して「目的」とはなり得ぬはずの、これらインパーソナル（非人称的・非人格的・非人間的）な「手段」の諸体系が、パーソン（人格的主体）としての人間からは独立に謂わば独り歩きを始め、〝逆に〟人間の身体や技能をはじめ、思考や行動や情意までも、ほとんど不可抗的に規定する状況がいたるところ現出している。このような「人間存在」そのものの〝二律背反的事実〟こそは、まさしくマルクスの言葉どおり「人間の〝自己疎外〟」としか呼びようがあるまい。かくして、このような自己疎外という惨めな形で「人間存在」の意味と目的が疑わしくなり、「人間が人間らしく在ること」が深い昏迷に陥っていることこそ、「変革の時代」としての「現代」の最も危険な根本特徴と称すべきであろう。そして、ほんらい人間性の充実、人間存在の完全を志向する、活き活きした努力とその成果たるべき「教養」の凋落・崩壊も、以上に概観した現代的悲劇状況全体のなかで生じ来(きた)っているのである。

それゆえ「教養」の問題は、現代に生きるわれわれにとって、本質的に最も〝ヴァイタル〟な課題に違いないが、しかし決して、一義的な解答や即効的解決を望みうる問題でないことも明らかである。けれども、「教養とは何か」「人間存在にとって〝教養〟の意味は何か」を改めて問い直すことは可能であろう。否、われわれが自覚的・人格的主体としての「人間」であろうとする限り、そうした問いを問いつづけること必定であろうし、また決してそれを諦めてはなるまい。あえて本稿において、「教養」の思想史的考察を試みる所以である。

## 二、伝統的な「教養」の理念

前節に見たように、「教養」の衰退と理想的人間像の昏迷は、現代世界に共通する一般的現象である。しかし、M・ウェーバーが主著『経済と社会』の中で論じているように、近代以前の――いわゆるカリスマ的支配の残存していた――時代には、「教養」こそが社会的威信の一般に承認された根拠であった。すなわち、かつては「教養ある人格」(die kultivierte Persönlichkeit) が〝指導者〟たる重要な社会的条件であり、したがって「〈教養あり〉と見なされる生活態度の〝質〟が、教育の目的だった」のである。もとより、指導ないし支配を維持するための種々の専門的知識や技能の養成も行われはしたが、しかし教育の〝中心〟は、あくまで「専門的有用性」とは別個の、「豊かな教養の質」の啓培に置かれていたのである。

ところが、ヨーロッパの近代以降に大きな変化が起こった。合法則性、技術的能率性、没人格性、非個人性などを特徴とする「合理主義」の急激な進展によって、近代人の生活は、政治面での「合理的官僚制支配」をはじめ、経済・社会・文化の各領域にわたって、全般的に「合理主義」化の浸透に見舞われたのであった。教育や教養に関してもそれは例外でなかった。教育の理想は、かつての「教養人」から「専門人」へと次第に重点を移してきた結果、今世紀初頭盛んにたたかわされた教育制度の基礎に関する論議の背後には、きまって上の二つの人間像の「闘争」が潜在していた。しかも両者の間の闘いは、教育ないし教養をも含む全文化領域にわたって合理主義化が進行するなかで、ますます合理主義的な即物性へ、そして職業人・専門人（Berufs-und Fachmenschentum）への傾斜を深めつつ、やがては後者の人間像の決定的勝利に終わるにちがいない。ウェーバーは概ねこのように、近代における陶冶（教養）理想の必然的推移について語っている。

　では、近代以前のヨーロッパ世界を支配していた伝統的な「教養」とは、一体どのようなものであったのか。その基本的な性格と内容を知るため、アリストテレスの最も古典的な「自由教育」（Liberal Education）論を次に見ることにしよう。

　彼は、紀元前四世紀のアテナイにあって、師のプラトンを通じて受け継いだソクラテス以来の「魂への配慮」（psychagōgē）という教育観に立ち、それをいっそう論理的に分析・綜合しつつ、いわゆる「自由教育」を初めて定式化した哲学者である。すなわち、感覚や欲望の奴隷状態にある人間の「魂」を覚醒させ、無知の束縛から〝人間精神〟を自由に解き放ち、「真・善・美」なる永遠の真実在の認識・体現に至らしめることを教育の究極目的と考え、そのような「パイデイア」（paideia：教育・教養）のことを「自由な」（eleutheros）営為と呼んだのである。

この「エレウテロス」とは、ギリシア語でもともと「自由人にふさわしい」という意味であるが、アリストテレスはこれを、ソクラテス゠プラトンにならって右のように、感覚からの精神の自由・解放という意味にも解釈し、この言葉を両義的に用いているのである。彼によれば、人間の生活には「多忙」(ascholia)のためのものと、「閑暇」(scholē)のためのものとの二通りの生活がある。前者は直接生産活動に連なり、したがって「自由ならざる」(banausos)、つまり「機械的で、必須・有用な」ものを目指すのに対して、後者は学問・芸術など生産活動には直接関わりのない生活で、その目的とするところは専ら、「美しきもの・善なるもの・真なるもの」の追求にある。それゆえ、前者は奴隷の生活に、後者は自由人の生活に対応する。

このように、アリストテレスは奴隷制度を経済的基盤とする古代ギリシア世界の常識に則り、明らかに自由人のための、自由人としての教養を得る「自由教育」を称揚しているのであるが、同時にそれは、特定の活動のために有用な、したがって一面的で偏った職業準備的教育、すなわち「職業的陶冶(教養)」(Berufsbildung)を排するものであった。つまり、人間精神の一般的・全面的開発をめざす「一般的陶冶(教養)」(Allgemeinbildung)の主張だったのである。というのも、アリストテレスにあっては、何らか他の目的のための手段としてではなく、純粋に「知」(sophia)を「知」のために追求し、真理を真理のために探求する活動こそが、人間にとって最も価値高い活動とされ、したがってギリシアの伝統的人間理想たる「美にして善なる人」（aner kalokagathōs：真・善・美の体現者）も、このような自由の営為を通じてのみ形成・陶冶さえ得、それゆえまた人間の真の幸福（eudaimōnia）も、実にこうした自己目的的な活動そのものの内に宿ると考えられていたからである。

総じてアリストテレスの説いた自由教育の趣意は、人が生活の多忙を離れて〝閑暇〟を美しく（真実にして善に）過ごすため、人間性そのものを陶冶し、人間としての一般的教養に培うことであったと言ってよいが、しかし先に見たとおり、そのさいの「自由な」という形容詞が、「奴隷的」と対比されて考えられ、「有用な」とか「職業的」ないし「専門的」とかと、明らかに相対立するものと捉えられている点は特に注意されねばならない。なぜなら、彼のこのような階級観念に立脚した自由教育の考え方が、実に十九世紀にいたるまで、長くヨーロッパにおける伝統的「教養」の基本性格を規定しつづけたからである。すなわち、ローマ共和制末期にキケロ（『雄弁家論』『トピカ』）によって引きつがれたアリストテレスの自由教育理念は、帝制期のクウィンティリアヌス（『雄弁家教授論』）にも受け継がれたが、続く中世千年の間は、大学の基礎教育課程としての「七自由科」（septem artes liberales）という姿をとって命脈を保ったのであった。しかしルネッサンス期には、比較的初期のヴェルゲリウスやヴェギウスらをはじめ、後期のエラスムス、モア、ヴィヴェス、ラブレー、メランヒトンなど優れた人文主義者の活動を通じて、古典古代の「フマニタス」（hūmānitās：人間性・教養・人文）の理想が本格的に定着・普及を見た結果、この古代的「自由人」の教養理念は再び活力を得て、確実に近世にまで伝えられたのである。しかも近世いらい学校教育が発展するに伴い、「自由教育」は、その古典教科一辺倒のカリキュラムと相俟って、貴族的・特権的・閉鎖的な意味をかえって増幅させつつ、国家的指導者の養成上もっともオーソドックスな教育として、ヨーロッパ各地の大学をはじめ、イギリスのパブリック・スクール、フランスのリセー、ドイツのギムナジウムなど特権的中等教育機関において、十九世紀中葉まで強固な伝統を形づくってきたのである。

ヨーロッパの伝統的な「教養」は、以上に概観したように、古代ギリシアの「自由教育」概念に原型をもち、その理想とするところは、人間精神の偏りなき全面的・調和的発展にあり、その限りでは「全人陶冶（教養）の自己価値」（M・シェーラー）という理念を代表してもいる。けれども現実的には、それは有閑階級の〝観想的生〟（bios theoretikos, vita contemplativa）の充実・享受のためのものであって、明らかに支配階級の一般的陶冶、観想的教養を具体的内容とするものに他ならなかった。それゆえ「教養」は、もともと有用性とは関わりなきものとされ、労働ないし職業と徹底的に対立するものとして思念された結果、職業人・専門家は、教養の理想からは〝埒外〟とされてきたのであった。

## 三、近代における人間像と教養観の転換

しかし近代は、上述のような伝統的教養とは全く社会的成立基盤を異にする、新しいタイプの教養を生み出さずにはいなかった。十七・八世紀を通じて手工業的商品生産が拡大し、「分業に基づく協業」（マルクス）の進行によりマニュファクチュアが発展し、〝労働〟は次第に「分割」され体系的な分業となった。このような「資本家的生産」の進展とブルジョア革命、さらには産業革命を経て、十九世紀には「資本主義的生産関係」が社会を全面的に支配し、政治や経済を根本的に規定するようになったことは周知のところである。こうした近代の資本主義社会成立の過程に随伴して、人間の生活における〝労働ないし職業〟の意味が徐々ながら、しかし根本的に変化し、その結果従来とは〝別個〟の新しい「人間理想」が、したがってまた陶冶ないし教養の新たな理想が生まれ出たのである。すなわち、近代人の生活と教養の指導理念は、もはやギリシア的な「善美なる人」、ルネッサンス的な「普遍人」（homo universale）、あるいはかのファウスト等に見られる「人間性の全面的開花・発展」ではなく、かえって「専門の労働に自己を集中し限定」することである。この自己限定は、古代以来の「全人」の教養理想を〝断念〟することに外ならず、しかもこの断念こそが、近代の世界ではあらゆる価値高き

行為の前提となり、それゆえ、観想ならぬ〝労働〟と、全面性ならぬ〝一面性〟への勇気こそ、むしろ近代的教養の根本モティーフとなったと言うことができよう。

このように、従来の伝統的な「教養」と真っ向から対立する「新たな教養概念」の登場には、先の資本主義経済の発展、労働階級の社会的抬頭、政治的民主主義の伸長、自然科学の急速な発達、さらに世界観的には「実証主義・合理主義」の広汎な浸透など、相互に密接に〝関連しあう〟諸要因が作用していることは言うまでもない。その一々について論及する余裕はないが、これら近代を特徴づける諸過程はすべて、伝統的教養にかつては妥当性を保証していた社会的・文化的基礎条件を、根底から〝掘り崩す〟基本要因として作動したのである。その意味で、これらは全体として、近代における「原理的に新しい」教養概念の成立要因であるとともに、やがてはそれが伝統的教養概念を圧倒しつつ、「教養人」から「専門・職業人」へという「人間像ないし教養理想」の〝決定的転換〟を促す動因でもあったのである。

ところで、人間と教養（陶冶）の理想に関する右のごとき「原理的転換」を、この上なく鮮やかに象徴しているのは、ゲーテの『ウィルヘルム・マイスター』（第一部、一七九五～六年、第二部、一八二一～九年）における有名な「諦念」（Entsagung）の問題である。文豪ゲーテのこの半自伝的な「教養（陶冶）小説」（Bildungsroman）では、十八世紀末から十九世紀へかけての〝大過渡期〟の歴史を背景に、自己の全生活の充実を希求しつつ絶えざる自己脱皮を続ける主人公ウィルヘルムが、様々な過誤や蹉跌に迷いながらも、その都度「より完全な、より純粋な、より価値多きものを求める成長と陶冶への憧れ」（H・ヘッセ）に基づき、それら一切の〝迷誤〟（Irrtümer）を通じて己れを〝練り上げ〟てゆく「自己陶冶」の道筋が、極めて多彩な登場人物と幾多の劇的事件との直接・間接の絡み合いのなかで、見事に描き出されていることは周（あまね）く知られるとおりである。この「発展と陶冶と努力」（グンドルフ）の道程において、ウィルヘルムの関わる世界が演劇の世界から愛欲の世界を経て、さらに「美しい魂」、「教育州」、「塔の結社」、「世界結社」へと拡がってゆくにつれ、彼の人生への関心は根本的に変化する。すなわち、手工業的・問屋制的資本主義下における非生産的世界での、もっぱら個人的な自我の充実・拡大から、真実の人間の生を求めて止まぬウィルヘルムの関心は、やがて〝全人類的・全民衆的〟な志向へと発展しつつ、「倫理的な労働の共同体」を実現すべき社会的に有意義な実践活動へと収斂してゆく。しかし、ここで特に注目すべきは、このウィルヘルム・マイスターの第一部『修業時代』から第二部『遍歴時代』への移行の過程において、初めは「自己の本性の調和的完成に向かって拒み難い欲求」に駆られていた主人公が、個人における人間性の全面的発達という陶冶理想を〝放棄〟し、この断念を通して敢えて「一事を為す」一面性の時代へと〝自己克服〟を遂げてゆく点である。この消極的「断念」から積極的な「活動」（Tätigkeit）ないし「行為」（Handeln）へという主題こそは、またかの『ファウスト』第二部（一八三二年）

の終末部とも照応して、ゲーテの教育思想を一貫する〝原理〟であったと言ってよく、『遍歴時代』には「諦念の人々」(die Entsagenden)という副題すら与えられている。

すでに第一部の終わりで、「人は自らの無制限な努力に、自分で一定の限定を与えるまでは幸福であり得ない」と語り、一つのことに〝自己を集中し制限する〟必要を示唆していたゲーテは、この第二部でさらに、同じ登場人物の口を通じて次のように述べている。「多面的な教養の時代には、確かにそれが有利で必要だったかも知れない。しかし多面性は本来、その中で一面的なものが働きうるエレメントを準備するだけのものだ。……現在は一面性の時代なのだ。このことをよく弁え、その心で自他のために活動する者は幸いだ。……君自身を〝一つの器官〟としたまえ。一つの手の業に自分を限定すること、これが最善だ」。「たわごとよ、君たちの一般的教養(陶冶)なんて。……一個の人間が……〝卓然として一事を為し遂げる〟こと、これこそが肝要なのだ」と。この力強い言葉が端的に示しているように、『遍歴時代』で人間陶冶上もっとも重視されているのは、〝有限性の自覚と自己限定への決断〟に基く「活動」ないし「行為」なのであって、行為する人、働く人のみが真実の人間性を獲得でき、またそのような人のみが〝倫理的な共同社会〟の中に正しく位置づけられ得る、とゲーテは主張しているのである。

したがって、社会的に有意義な一定の職業的陶冶を重んじ、それとは別個の一般的陶冶を改めて行おうとはせず、「正しく為す一事のうちに、正しく為される〝万事の像〟を見る」よう説いている。それゆえ、新しい社会のための新しい人間形成の郷（さと）「教育圏」（pädagogische Provinz）においても、生活活動の直接性から遊離した教育・教授はすべて排され、一定の職業的作業、すなわち「手の業」（Handwerk）が中心となる。というのも、「一事を正しく知りかつ正しく行うことは、百事を半端に行うよりも、いっそう高い教養（陶冶）を与える」からに外ならない。

しかも「手の業」の重視は、ゲーテのばあい手工業時代の職業的訓練の意味なぞ遥かに超え出て、——「諦念の人々」という副題にいみじくも象徴されているごとく——「畏敬」（Ehrfurcht）という宗教的思想へと発展してゆく。手の業において、自らの実践を一つに限定することは、すでに「全人」としての多面的調和的発展を断念することに外ならない。しかし行為における制限や限定とは、全体を一つの方向に集中・充実することに外ならず、断念は直ちに活動へと通ずる。このような断念と活動との両極を統一する〝最高の心術〟こそ、すなわちゲーテの説く「畏敬」なのである。なぜなら、この断念と活動とを統一する「畏敬」の念は、神と自然がもたらす最上のものによって自己を規制する心術であり、それは無限の神性が、己れの最深の精髄、最高の理念として、内奥に〝顕現〟し来たるという根源的自覚に基き、その意味で「絶対者」への参入の念に外ならぬものだからである。こうして宗教の本質を畏敬に認めたゲーテにあっては、「人があらゆる面で人間たるための一切が〝之（こ）れ〟に懸っており」、それゆえ畏敬の涵養は、あらゆる教育と陶冶（教養）の最高目標でなければならなかったのである。だが畏敬は、もとより自然に与えられるものではなく、あくまでも真実の人間性を求めて絶えず自己克服に努めたウィルヘルムのように、長期にわたる苦闘的自己陶冶の極において、最終的に「彼の自然に与えられるべき最高の意味」なのである。

以上、ゲーテの『ウィルヘルム・マイスター』における消極的「断念」から積極的「活動」へという主題について概観したのであるが、自らの素質および能力の調和的発展と、それに基づく多面的で一般的な教養を目指した一つの時代から、諦念をもってそれに訣別し、外科医という有為な専門家として、敢えて一面性を追求するに至った主人公ウィルヘルムの転生は、まさしく近代を、それ以前の時代から区別する端的な徴標でもある。人間性の全面的充実への断念を〝媒介〟として、はじめて「教養人」から「専門・職業人」へという人間像の原理的転換があり得たことを、ゲーテのこの作品は明確に象徴していると言ってよい。しかし翻って考えれば、ウィルヘルムのごとき「全面性」への意欲と努力をもともと欠き、したがってゲーテの謂う「死して生れ(な)」(stirb und werde!)と叫ぶだけの主体的気迫も覚悟も起こりようがないところでは、どだい「畏敬」に裏づけられた「諦念の人」なぞ生まれる道理はあるまい。すでに最初から専ら職業的一面性にのみ浸りきっている近代人にとっては、「畏敬」という人間の根源的心術など、本来的に無縁のものであろう。そこでは、ウェーバーも示唆するように、「精神なき専門人、ハートなき享楽人」(Fachmenschen ohne Geist, Genußmenschen ohne Herz)の登場は必定であり、彼らの支配する世界こそ紛れもなく「近代」以降の世界と言わねばならない。

## 四、〃教養の小春日和〃が孕むもの

ところで少なくも思想史の上では、十八世紀後半から十九世紀初葉にかけてのドイツで、いわば〃教養の小春日和〃とも称すべき現象が見られたのは確かである。先のゲーテその人をも含め、その友人たるヘルダー、シラー、フンボルトなど所謂「新人文主義」(Neuhumanismus)を代表する人々によって、伝統的な一般的教養の理念と全面的人間性の陶冶理想が、〃あらためて〃意欲的に追求され唱導されたのであった。彼らにあっては、総じて「教養(陶冶)」の理念は、最も溌剌(はつらつ)たる人間の成長・成熟の「導きの星」(Genius：守護神)として、なお生き生きと思念されていたのである。すなわち、人が外なる多様で異質な世界の中へと果敢に身を投じ入れることによって、自己の内なる限りなき向上への欲求と、外なる様々の制約や運命とが激しく切り結びあう中で、あたかも植物が陽光と氷雪の真只中で美しく逞しく成育してゆくと同じように、その長期にわたる対質と試練を通じてこそ、真実の人間性が自己の内なる大地に根を張り、天を目指して伸び、見事に枝を展(ひろ)げ花をつけ、やがて円熟した実を結ぶに至る——これこそが、彼ら新人文主義者にとっての「教養」に外ならなかった。それゆえ、この教養への努力ないし人間陶冶の道程には、実現さるべき自己と世界への、より高い理想がいつも活き活きとイメージされていた。と同時に、そこには憧憬に対する幻滅、希望に対する失意、獲得に対する喪失がたえず反覆的に相伴っており、したがって、不断の自己超克へと立ち向かう不撓不屈の意志と努力が常に存在していたのである。

だがしかし、このような新人文主義者による「教養」の追求には、その背後に、近代世界に対する的確な批判的認識があったことを見逃してはならない。ゲーテのそれについては最早触れる必要はあるまいが、シラーにしろフンボルトにしろ、自らの時代の「欠損をはらむ教養」(mangelhafte Bildung)に鋭い自覚をもっていた。いたる処で異口同音に披瀝されている彼らの〝歴史意識と時代認識〟について、ここで詳しく論ずる暇はないが、その趣旨はおおよそ次のように要約できよう。すなわち現代人にあっては、感性と理性の矛盾、知・情・意の乖離・不均衡は一般的であり、かつ深刻である。かつて人間の自然な全体性を生き生きと保持していたギリシア人に比べ、「現代人」は〝個別的・一面的なもの〟の中に「自己を見失い」、その能力は個別化され分散してしまっている。それは取りも直さず「人間性の分裂」であり、「全き人間性」の〝喪失〟である。われわれは、その失われた「人間性の完全」を〝回復〟しなければならない。その際しかし、ギリシアへの回帰を願うのではなく、人間性の〝個別化を経た〟「より高次の調和」(Harmonie auf hoherer Stufe)をこそ目指すべきである。概ねこのような

「時代人としての課題意識」に立って、シラーは「美」(Schönheit)の全人陶冶的機能を力説し、〝美ないし芸術を通じて〟の全体的・調和的人格の育成を高唱したのであったし、またフンボルトは、〝内的統一と完結性〟を備えた調和的人間の「全体性」(Totalität)を取り戻すべく、「一般的な人間陶冶」(allgemeine Menschenbildung)を指導原理として、「プロイセン教育の全面的改革」に尽力したのであった。このように、新人文主義の人々が敢えて「教養(陶冶)」の一般性・全面性を高調して止まなかったのも、実はその根底に、「人間性の根源的統一」を回復せんとする〝近代人の悲願〟が潜んでいたからに外ならない。すなわち、専門的・一面的たらざるを得ない近代人の教養と、それに伴う人間存在の内的分散・分裂の危機について、彼らは「等しく鋭い洞察と自覚」をもち、その克服のために一般的・全面的な「教養」の理念をいやが上にも高揚しつつ、それぞれ真摯な努力を重ねたのであった。

それゆえ、新人文主義者の説く「教養」とは、ほんらい〝俗物根性〟などとは縁も因りもないはずの、むしろその「対極」にこそ位すべきものであった。ところが、僅か半世紀ののちの十九世紀後半には、かのニーチェによって「教養俗物」(Bildungsphilister)という辛辣きわまりない言葉が合成されるに至ったことは、余りにも有名な事実であり、正に〝歴史のアイロニー〟とでも言うべきであろう。一八七三年、この炯眼にして特異な思想家は、『反時代的考察』の第一篇として収められた論文で、世の知識人・教養人と呼ばれる人々を評して、「瓦礫のごとき知識」を後生大事に担ぎまわる「動く百科事典」(die bewegende Enzyklopädie)であると嘲笑を浴びせ、その「教養の仮面」に隠された「狭く乾いた心と平俗な欲望」を鋭く論難したのであった。そして、このような「教養」ならざる似非教養で鎧っている俗物、すなわち何らの理想も信条もなく、いかなる人格的魅力も生活実質も持ち合せず、いたずらに日常的利害にのみ汲々としているエセ教養人のことを、いみじくも「教養俗物」と呼んだのであった。

わずか数十年前、先述の優れた新人文主義者をはじめとして、さらにはシュレーゲル兄弟、ジャン・パウル、アルント、フレーベルら浪漫主義者たちによっても、それぞれの立場から悲願こめて唱導された全面的「教養」は、束の間の〝小春日和〟を享受したかに見えて、実はニーチェが喝破したごとく全面的に形骸化の一途を辿り、単なるディレッタンティズムに陥ったのであった。そこには無論、幾つかの相互に関連しあう原因が考えられる。しかし、思想史的にみて最も重要な原因は、次のような本質的問題に見出されるべきであろう。すなわち、十八世紀いらいの自然科学とその技術化の急激な進歩、それに伴う機械制大工業の出現、そのもとで高度に体系化が進んだ分業機構等々、一連のいわゆる第二次「産業革命」への基本的諸過程は、あげて「人間とその教養」の〝個別化〟、〝一面化〟、〝断片化〟を惹起し、人々の統一的人格としての統合を損い、人間存在を「内的分裂」の危機に曝す結果を招いたのであった。何故なら、もともと外なる自然を支配すべき「道具」ないし「手段」として開発された各種の科学技術や生産機構によって、〝逆に〝人格的主体たるべき「人間」は細分化され、自らが道具化したからに外ならない。世界観的に言えば、要するに近代「実証主義」(Positivism) がもたらした機械主義、技術主義、産業主義、能率主義によって、個々人の人格的価値、内的自立性、精神的主体性等々——つまり、人間独自の尊厳は日に日に衰え、正にその故にこそ「教養」は、その核心部の空洞化につれて生気を失い、単なる形骸と堕していったのである。それゆえ、前世紀初めまでに一旦は確立されていた「ドイツ的教養(陶冶)」(die deutsche Bildung) が、急速に衰退・凋落していった事実は、ゲーテの所謂「さまざまな一面性の時代」(Zeit der Einseitigkeiten) への、抗すべくもない歴史的必然性を端的かつ冷厳に証していると言えよう。かくして、次のように纏めることが出来るであろう。新人文主義をはじめとする「ドイツ古典主義」の人々は、全体的調和的な「人間性」(Humanität) の理念に燃えて、一般的・全面的「教養」の復権に精励したのであったが、しかし彼らの真剣な努力とはウラハラに、その背後で深く速く、しかも広汎かつ着実に進行しつつあったものは、近代以降の世界を特徴づける内的「人間の自己疎外」に外ならぬ「実証主義」の世界観である、と。

## 五、文明批判としての「教養」

さて、先に見たように〝教養の小春日和〟が内に蔵していたものこそ、実は「人間の自己疎外」という悲劇的な根本現象であったとすれば、新人文主義者に先駆して、この問題を〝逸早く〟鋭敏な直覚で捉え、「人間」の本質的危機を烈しく訴え、文明ないし文化の抜本的変換を近代人に迫った思想家として、ここでルソーについて触れざるを得ない。フランス革命を目前に控えた十八世紀半ば、彼が「自然に帰れ」を標榜して、当時のフランス専制主義下の褥礼化した文明文化と、「啓蒙思想」に潜在する合理主義的実用主義ないし実学主義とに対して、果敢なプロテストを試みたことは周知のとおりである。人間性の中核を感情に認め、道徳を根源的な心情の表現とみるルソーは、学問・芸術など総じて「文明文化」の進歩と称されているものは、かえって真の人間性の〝腐敗・堕落〟以外の何ものでもないとする、爆弾的な『学問・芸術論』をひっさげて思想界に登場した。しかも、文明の進展が必然的に人為的「分業」社会を生み出すことに鋭く着目した彼は、あたかもマルクスを先取りするかのように、有名な教育小説『エミール』（一七六二年）の中で、〝分業〟による人間疎外について大略つぎのように説いている。分業は人間の能力や活動の〝一部分のみを偏重〟する結果、人間生活は一面的・末梢的・外面的なものとなり、人格の根源的統一性と直接性は破壊されざるを得ない。こうして人は、もはや「全き人」（entier absolu：絶対的完全体）ではあり得ず、「部分人」（unite fractionnaire：分数的単位）となり果て、もっぱら社会の操り人形のごとき存在と堕する外はない。このように、近代以降における人間存在の潜在的・根本的危機を慧敏に透察したルソーは、激しい語調で叫ぶ、「国民（partie）と市民（citoyen）、この二つの言葉は現代の言語から〝抹殺〟されねばならない」と。

それゆえ、ルソーにとって〝教育〟とは、このような「社会人」（l'homme civil）の境位から、人を再び人間〝本然の姿〟へと連れ戻すことに外ならず、社会人とは対極に立つ「分かたれない単位」としての「自然人」（l'homme naturel）へ、すなわち「絶対的完全体」たる一個の自由な人格的主体へと育成することでなければならなかった。なればこそ彼は、「人間をつくるのか、市民をつくるのか、そのいずれかを選択しなければならない」という自らが敢えて提起した問題に対して、その答えを明確に前者に見出したのであった。すなわち「人間よ、人間らしくあれ。それが君らに課せられた第一の義務である」と。ここに、ルソーによって目指された「教育の目標、教養の理想」が如何なるものであったかは明白であろう。人格的にはバラバラに打ち砕かれ、断片化している〝分数的存在〟としての近代人を、再び根源的全体的統一へと引き戻し、「内なる自然」の純真性、本源性、直接性に〝目覚め〟させることによって、特定の身分や職業などには一切関わりない「人間としての共通の天職」、すなわち「人間という身分」（l'etat d'homme）にまで高めること――これこそが、『エミール』を書いたルソーの目的であり理想であったと言ってよい。この点に特に着目するならば、彼の教育思想の根本特色は、「一般的陶冶」ないし人間陶冶の理念そのものに見出されると言えよう。

かくして、ルソーによる教育の「思考実験」とも称すべきこの小説において、「生きる」

（vivre）ということ、つまり〝人間として〟生きる生き方を学んだ主人公エミール少年は、やがて「農夫のごとく働き、哲学者のごとく思索する」青年として、「この人生の善と悪とに最もよく耐え得る」人間として成長することになる。正にこのような「人間としての人間」が、ルソーの所謂「自然人」に外ならず、このような意味での「自然」の人こそ、彼にとって実は「最もよく教育された人間」なのであり、人間の〝理想像〟だったのである。それゆえ、ルソーの高調する「自然」（la nature）とは、現実の人間や社会、現存の文化や教養に対する〝反省・批判〟の基準であり、またそれらを変革する指導原理でもあって、要するにカント的な意味での「規制的原理」（das regulative Prinzip）として、彼の胸奥深く描かれていた根源的文化の理想、ないしは真正なる「教養」の理念に外ならぬものだったのである。

ルソーにおいて「自然」こそ「教養」の理念であるとは、一見逆説のように見える。しかし彼の説く「自然」とは、実は「人間が人間として生きること、人間らしく在ること」への反省・批判の基準たるべきものであった。してみれば、〝人間存在〟についての根本的批判こそ、むしろ「教養」の本質的機能であることを初めて、しかも最もラディカールに教えてくれた人物がルソーであったと言ってよかろう。

ところで、産業革命を世界に先がけて達成した十九世紀中葉のイギリスにあって、「教養」（culture）の本質が外ならぬ「人生の批判」（criticism of life）にあると力説したのは、「教養の主使徒」(the arch-defender of culture) とさえ称えられるM・アーノルドであった。有名な『教養と無秩序』(一八六九年) は、自らの生きた時代の社会的・精神的現実に対する、彼自身の〝退(の)っぴきならぬ〟対決から産み出された作品であり、内容多岐にわたる包括的な社会批判、文明批判、時代批判、ひいては「現代人批判」そのものなのであるが、ここではその基軸をなす最も根本的な論点にのみ照準しつつ、アーノルド「教養論」の〝本質的批判性〟について論究してみたい。

さて、彼の教養理念が集約的に表現されているのは、何といっても、この書の序文に記されている「教養」の〝定義〟であろう。即ち、「教養とは、われわれに最も深い関わりをもつ総ての問題について、これまで世界で考えられ語られてきた最善のものを知り、さらにこの知識を通じて、自らの〝常套的〟な観念や習慣に〝新鮮で自由な流れ〟を注ぎかけることによって、われわれの〝全体的な完成を追求する〟こと (pursuit of our total perfection) である」。ここには、アーノルドの説く活きた「教養」の全体的構造連関が、一分の隙もなく見事に示されていると言ってよい。次にそれを敷衍(ふえん)しながら分析してみよう。直ちに確認できる第一の点は、「教養」の究極目標が、先のドイツ新人文主義におけると同様、われわれ〝人間存在〟の調和的「全体的な完成」に置かれていることである。そして第二には、このいわば永遠の課題たる究極の目標を、あくまで「追求」して止まぬ〝積極的・向上的活動〟こそが、すなわち「教養」であると捉えられている点である。このように、「全体的完成」を絶えず追い求める〝能動的活動〟としての「教養」が、アーノルド自身も言明しているように、もはや決して「書斎風で衒学的な、現実には何らの実りももたらさぬ」装飾としての教養なぞではあり得ない以上、それでは正に活ける教養として、それは一体いかなる実践的機能をもつのであろうか。それは、――右の定義によれば――日常の反覆的生活のなかで、些かの懐疑や疑念すら感じられなくなった〝既成〟の「常套的観念や習慣」に対して、たえず「新鮮で自由な流れを注ぎかける」反省・批判の機能でなければばならない。それゆえ、ここでさらに二つの点を確認することが出来る。すなわち第三に、「教養」の本来の役割は批判にあり、〝人間生活ないし人生〟の批判こそが「教養」の本質である。そして第四に、その批判が向けられるべき対象は、日ごろ無自覚・無反省に営まれている一切の生活、およびそこに潜む〝精神的自足と安住〟、ないしは〝自己瞞着〟でなければならない。

さてそれでは、このような自己省察ないし自己批判の力は、いったい何によって得られるのであろうか。この点に関して、アーノルドはこう語っていた。すなわち、「われわれ自身に最も深い関わりをもつ」事柄について、過去・現在を通じて「考えられ語られてきた〝最善のもの〟」をまずは知り、そして「さらにその知識を通じて」、――つまり一応習得された客観的知識を、真に〝主体化し体得する〟ことによって――はじめて上のごとき自己省察的・自己批判的活動が可能となる、と。それゆえ、ここにいう「知識」とは、決して既存の知識の蓄積を意味するのではなく、あくまでも人間の「全体的完成」の理想を志向して止まぬ、〝能動的な知性〟の追求的・批判的な力そのものなのである。これが確認できる第五の点である。してみれば、次の第六点として、この定義の〝最初の句と最後の句〟との間には、活きた「教養」に必須な批判的・追求的知性の強調を介して、明らかな〝対応関係〟が成立しており、「われわれに最も深い関わりをもつ問題」とは、まさに人間存在の「全体的な完成」に本質的関わりをもつ問題と直かに照応するとの意味に外なるまい。

それゆえ、「教養」の究極目標たる「全体的完成」の理念は、それに徴して自己の生活現実に徹底的反省・批判を加えるべき根本的な〝批判基準〟であると同時に、従ってまた、この絶えざる自己吟味を通じて、より完全な人間の生き方を自ら創造してゆく実践的な「追求」の〝指導原理〟でもなければならないのである。この点、先のルソーにおける「自然」と同じく、アーノルドの「全体的完成」とは、畢竟（ひっきょう）「規制的原理」としての人間存在の理想に外ならぬものと言うことができよう。彼が別の箇所で、「全体的完成」の理想こそは「人間にとって常に〝神聖〟であるとともに、万人が〝義務〟となすべき唯一の目標」であると説いている所以も、かくして十分〝了解〟されるであろう。

以上の分析からも明らかなように、アーノルドにとって「教養」とは、要するに人間が、全体的調和的人格として、より完全に、「より人間的に生きるため」、自らの絶えざる「人生批判」を通じて、〝不断〟に自己更新・自己創造をすすめるべき向上的・追求的な、〝本らい実践的活動〟

であった。けれども、彼が眼前のイギリス社会に見出したところのものは、実に「教養」ならぬ「無秩序」（anarchy）だったのである。だがアーノルドの叫ぶ「アナーキー」とは、例えば一八六六年の有名なハイド・パーク騒擾事件などに代表される、政治的・社会的な無秩序・無政府状態を必ずしも指すのではない。産業革命を逸早く成就した当時のイギリス社会は、世界一の工業力を誇る「世界の工場」として、未曾有の経済的繁栄と、それに基づく政治的社会的安定の時期を迎え、全般的に「限りない進歩」への信仰と「心地よい満ち足りた気分」が瀰漫していたのであった。アーノルドは外ならぬ〝この点に〟、むしろ人間存在の深い危機を感じとったのである。なぜなら、こうした〝精神的自足・安住〟のさなかで、かの「万人が義務とすべき唯一の」追求目標でなければならぬ「全体的完成」の理想が、きれいさっぱり〝忘失されている〟当時の一般的現状に、彼は最も恐るべき内的「無秩序」、精神的「無政府状態」を認めたからである。

さて、ここで注目すべきは、アーノルドが指弾した「アナーキー」の具体的内容である。彼はまず、もっぱら生産と収益の増大のみを追う「産業主義」と、それが助長した「物質主義」の蔓延のうちに、その端的な徴証を見る。彼は嘆く、「今日、イギリス人の十中九人までは、われわれの偉大さと幸福がその富によって証明されると信じ込んで」おり、また「手紙が日に十数回も配達されたり、汽車が十五分おきに往来するのを見れば、それが最高の文明と〝考え違い〟している」と。しかもアーノルドによれば、このような浅薄皮相の考え方は、誤てる

「機械」への〝信仰〟に由来すると言うのである。ここに所謂「機械」(machinery) とは、しかし通常の意味の機械 (machine) のみならず、あらゆる物質、財貨、富、さらには一切の制度や機構など、要するに人間の「完成」という究極目標の実現に役立つべき、諸々の「手段」の総称に外ならぬものを謂うのである。人間の〝幸福〟は、自らの「完成」への限りなき接近にあり、人間ならではの精神的諸価値の実現過程の中にこそ宿る。「心と精神の完全な状態」へと不断に自己形成をすすめ、自己克服に努めることこそが人間存在の唯一・至高の目的なのであって、総体としての「機械」は、この永遠の課題達成に偏に奉仕すべきものなのである。ところが産業主義体制下の文明の指標は、人間存在の質的向上にではなく〝量的拡大〟に、精神の醇化・充実にではなく、却って物的諸条件の整備・拡充に置かれている。してみれば、これは「人間存在」にとって、正に〝本末逆転〟としか呼びようがない。

物質文明の本質的病根について、右のように徹底した批判を試みたアーノルドは、さらに、当時の時代精神たる「自由主義」にも鋭鋒を向け、その根底に潜む同様の〝「機械」信仰〟を仮借なく暴くのである。彼にとっては「自由」といえども、それ自体絶対的価値を有するものではなく、したがって無条件的な「目的」とはなり〝得ない〟。自由の本質は、あくまでも「われわれが最善の自己 (the best self) へと向上するための、〝用を勤める〟(service) ところにある。すなわち、通常の自己 (ordinary self) が有する雑多で放縦かつ盲目的な諸衝動を、〝最善の自己と完全な人間性の理念〟のもとに、ことごとく調和せしめるのに役立つことにこそある」。その意味で、「自由もまた機械でなくて何であろう」。このような「マシーナリー」としての本質が全く〝見失われている〟ところに、実は今日いたる処で、誤てる自由、歪んだ自由主義が横行する根本原因がある。自由とは、当今もっぱら「自分の好き勝手に振舞うこと」(doing as one likes)と解され、したがって自由主義は、今や〝低次元の欲望充足〟を正当化し、粗暴でアナーキーな行動をさえ〝合理化する〟安直な建前に成り下がってしまっている。

このように繰り展げられるアーノルドの自由主義批判も、また先にみた産業主義批判も、要は彼の所謂「無秩序」への、真正なる「教養」の立場からする批判だったのである。換言すれば、「人間としてより完全に生きる」ために、本来なにが〝目的〟であり、何がその実現に役立つ「手段」たるべきかを、〝自覚的に弁識〟することこそ、「人生の批判」たる「教養」の本質的機能なのであって、この弁識力の欠如から生ずる「目的」と「手段」との〝本末転倒〟、ないしは人間存在における価値の〝倒錯〟が、すなわちアーノルドの意味する「アナーキー」なのである。してみれば、彼の剔抉したところのものは、ひっきょう勝義における「人間の〝自己〟疎外」に外ならない。彼もまた、産業革命以後の世界の根本的病弊に対して、真摯な対決を敢行した思想家だったのである。かくして、アーノルドの教養論、わけてもその内的「アナーキー」批判には、われわれ科学技術革命下に生きる〝現代の人間〟にとってこそ、むしろ本質的にヴァイタルな（vital：生死に関わる）根本問題が、尖鋭かつ直截に抉り出されていると言ってよい。正にこの点こそは、一世紀前の『教養と無秩序』が類い希な現代文化批判・現代人批判として、今なお鮮烈な光輝を失わぬ所以であろう。本稿において、アーノルドを結びに取り上げた理由も、またそこに存する。

本稿の基本的問題意識については、冒頭の節に述べておいた。「現代人の危機」の本質は、一言でいえば、人格的主体としての人間の「空虚化」にあると言えよう。産業革命いらい、人間存在における価値の倒錯、「目的」と「手段」との主客顛倒はますます顕著となり、第二次産業革命とも称せられる今日の科学技術革命下では、その深刻さはほとんど極点にまで高まりつつある。Ｂ・ラッセルが現代を評して「手段においては巧妙だが、目的においては愚蒙」と語ったのも、正に「目的自体としての人間」に関する価値感覚ないし自覚の喪失を指すのである。これこそは、けだし「人間の自己疎外」による「人間の空虚化」としか表しようがあるまい。このような本質的危機の只中にあって、現代人は「人間であること」「人間として生きること」の意味と目的について、深い昏迷に陥っているのである。なればこそ、これを改めて自覚的に問い直し、批判的に追求する〝よすが〟として、敢えて本稿では「教養」をテーマに選び、思想史上に名高い先人士たちの教養観を検討してきた。すぐれた思想との「対話・対質」を求めたからである。しかし、もとより一義的「結論」などあり得ようはずもない。そこから何を掬すべきかは、あげて読者自身の問題に帰するであろう。「人間存在」とは何であり、人間存在にとって「教養」とは何か――こうした根源的問いは、ほんらい主体的に問われねば無意味であり、自己の「生き方」そのものに関わる最たる問題として、むしろ〝実存的にこそ行ぜらるべき〟問いであろうから。

［了］

〈付記〉

一、初出は共編著『現代教育問題史――西洋の試みとの対話を求めて』昭和五十四（一九七九）年四月、明玄書房、第二章。

二、原著の第二章末尾の付注（一）～（四四）、五八～六五頁、および参考文献（一）～（一五）については、本書の性格上、繁雑さに配慮して割愛した。御諒承のほど願い上げます。

# 二　超越の忘失――現代教育をめぐる反時代的考察

## 問題の設定

「超越」を主題とする一文を草するのは、私にとって余りに重く、かつまた辛らく苦しい仕事である。事柄自体の深さ、大いさ、重さへの〝畏れと躊い〟についてはいうまでもないが、別けても広島原爆の生き残りである私にとって、超越をめぐる問題は同時にまた、己れの〝生き死〟に直接関わらざるを得ぬ実存的テーマでもあったからである。

母と妹のみならず、かつての小学同級生たちほぼ全員を亡くした十二歳の少年は、もの陰一つない廃墟で烈日に目まいしながら、被爆後間もない所謂「修羅場」の種々相を目の当り視てしまったのである。神も仏もあらばこそ、あらゆる酸鼻と堪え難い酷状と抜きがたい人間不信とが交錯する只中で、しかし他方、紛れもない「人間の真実」として心に刻み得たものは、正に崇高としかいいようのない純乎たる愛と善意であった。その両極の狭間で、実は長いこと私は惑乱し続けた。惑乱しながら、しかし私は断えず永遠なるものに〝憧れ〟、超越とは何か、超越なるものは己れとどう関わり、人間らしく生きる上で如何なる〝意味〟をもつのか、これを折りにふれ自問自答せずにはおれなかったのである。長い青春の間中、私はこの人生の不条理に堪えかね、幾たびも「己れに〝始末〟をつけよう」と試みながら果たせず、十数年懊悩の末やっと思い定めるに至ったのは、次のような自己に対する「命法」であった。生きて在る以上は、生きてこの世に〝在る限り〟は、あの炎に焼かれて死んでいった仲間たち一人々々に、せめては〝申し訳の立つ〟ような生き方をしなければ、と。——今にして思えば、要するに、〝存在の重さ〟に耐えて〝自分なりに生きる〟道を、遅蒔きながら〝自分に課する〟ことが出来たということであろうか。

ところで私には、それに加えて、もう一つ〝自責〟の念が断ち切れない。はや古稀に近づく齢になって、ますます募りくる「教育学徒」としての思いである。学生時代より約半世紀この道に携っておりながら、その自らの学問的営みが、次世代以降の「精神の形成」にとって果たしてどれほどの〝意味〟があったのか、省みて甚だ心もとないのである。思えば、われわれの恩師筋の方々、また尊敬する先輩や同僚も含め、総じて戦後の教育学者が自らの教育上の〝信念〟を、その学問と実存とに賭けて渾身で披攊するような場面は、さほど無かったように思われてならない。

こんにち教育について、ほとんどあらゆる問題が喧しいまでに論議され、夥しい文献や各方面での実践的努力が積み重ねられているにも拘わらず、これ程までに「教育」が〝昏迷〟を深めている時代は曽つてなかった。――この現代教育批判と思える言葉は、実はヤスパースが七十数年前に語ったものである。彼は続けていう。「それというのも、〝実体〟が疑わしくなればなる程、「教育」は〝公式化〟するからである。……実体が疑わしくなり、信念が揺いでくると、人々は意識的に教育について議論するようになり、〝技術的には精緻〟になる。しかし、あらゆる論議や努力が自己自身の〝意志の自覚化〟として行われない限り、つまり〝主体的・実存的な探究と努力〟でない限り、それらは大した〝意味も迫力も〟もち得ないのである」と。こうした教育の「実体崩壊」(Auflösung der substantiellen Erziehung) が決して杞憂には終わらず、今日の日本でも世界各地でも、ますます多様な痛恨の現実として露呈されていることは多言するまでもない。

因みに、わが国の若者たちをはじめ広く世間一般の、〝我欲・物欲〟むき出しの各種大小事件を顧みるとき、これまで長い人類の歴史を通じて形づくられてきた「人間性」(humanitas) の〝実質〟が、今や最も深いところで「メルト・ダウン」しはじめているかと疑われる程、まこと無惨極まりない様相を呈している。蓋しそれは、少なくも十九世紀の産業革命いらい、近・現代人が目的合理性の〝亡者〟であるかのように、「大量生産・大量消費・大量廃棄・大量汚染」の路線をひた走ってきた〝ツケ〟が、今こうした深刻な形でめぐってきたとしかいいようがあるまい。その専ら「先へ先へ」と突っ走る「生産主義」(*pro-ductionism*) は、実は教育の領域においてさえ例外ではなかった。いわゆる「高学歴」という単一の目標に向って一目散に進む粗暴な教育が、知らず識らずのうちに主流をなすに至った。それもこれも、要するに根本的には、「産業主義」と深く結びついた自然科学と、その応用たる各種の先端科学技術が〝異常〟とも呼ぶべき発達をとげた結果、諸々の「地球環境問題」を惹起したばかりでなく、現代人の思考・感情・意志、さらには価値意識や美意識の中にまで、不知不識のうちに「実証主義」(positivism)の世界観を〝浸透させ〟てしまったからに外ならない。

そして今や、その圧倒的支配は極点に達し、人類は〝身心両面〟において、滅亡の危機に瀕しているといっても過言ではない。例えば「地球温暖化」の問題一つとってみても、それは明々白々である。しかしより根本的な、人間の精神に関わる重大な事例を一つ挙げるならば、現代医学の先端的成果と称される「脳死判定＝臓器移植」という名の、だが本質的には〝人肉食(cannibalism)〟と何ら選ぶところなきものが、臆面もなく〝制度化〟されるまでに立ち到っている。つまり、右に触れた「地球破局」(geo-catastrophe)と並んで、本質的には全くそれと同根の「内面破局」(psycho-catastrophe)とも呼ぶべき〝危機的事態〟に、いま人類は直面しているのである。その〝内外二重の意味〟で、現代人は正しく「無意味性」(meaninglessness)へと向かって驀進中」(L・マンフォード)である、という外はない。

こうして、「人間存在」(human being, Menschsein)にとっての、すなわち、人間が真に人間らしく〝在る〟こと、人間らしく〝生きること〟にとっての根本的脅威の真只中にあって、外ならぬ「教育哲学の徒」として、最早避けて通ることの許されない課題があるように思われる。第一にそれは、「子供」がそれぞれに掛け替えない「人生をより善く生きて」ゆくのを、先行世代が全力を尽くして〝助け成らせ〟る「教育」という営為について、「過去・現在・未来」にわたる〝人類の命運〟を見据えながら、そもそもそれが人間存在において普遍的に成立する「根源的な根拠と意味」を究索すること。次いで第二に、この「人間ならでは」の〝営為〟を、その最も深い次元で規定すべき人生観・世界観について、改めて〝主体的・実存的に〟問い直すこと、換言すれば、教育実践を根底から支え導く「生きた理念」を、自らの主体的決断において〝選び執る〟こと。このようにして第三に、人生観的・世界観的省察から克ち獲られた確乎たる「教育的信念」に基づき、実践上の原理や方針や方途について「人間学的・解釈学的基礎づけ」に努めること。そして、以上三つの課題すべてに通底する究極のテーマを、今ここで第四の課題として纏めるならば、大略次のように〝総括〟することができるであろう。すなわち、真に「人間存在」であるために不可欠の、〝善美なる生・尊厳ある生〟とは如何なる次元のものであり、また、その〝畏敬すべき生〟の「質」に照準された「教育」とは、いったい〝如何なる類い〟の「人間形成」なのかについて、「渾身の思索」を重ねること――これらこそ、われわれにとって本質的な課題というべきものであろう。

さて、このような課題に取り組む以上、不可避的に、われわれは「超越」の問題に接近せざるを得ない。けだし、本性上「自覚」をもち、したがって絶えず自己脱皮・自己超越を繰返す存在であり、然るがゆえに、また意味や価値をも生きる「形而上的存在」である〝人間〟にとっては、――いみじくもソクラテスが自らの最期に当たって述べた通り――「ただ生きること」(to zēn)ではなく、「〝善く〟生きること」(to eu zēn)こそ最重要の関心事たらざるを得ないからであり、そのさい「善さ」の絶対的基準ないし根拠として、「超越」への問いが必然的に問われざるを得ないからである。

概ね以上が、本誌編集委員会からの御請(もと)めに応じて、今回敢えて超越をめぐる試論に拙ないながらも〝挑戦〟する所以である。

## 昏迷の現代

かつて私は「現代」という時代が、考えれば考えるほど〝エキセントリック〟(ex-zentrisch)な、つまり、人間としての「中心軸からズッコケてしまった」由々しき時代である、と述べたことがある。そのような人間存在にとっての「根本的危機の意識」は、次のような些細ではあるが〝教育学徒〟として忘れ難い思い出が、その出発点だったのである。

一九六五年の夏、郷里信州のある付属小学校で道徳教育研究会が開かれ、阪大の森昭教授とご一緒に参加したときのことである。各学年の授業を次々に参観しながら、ある〝不安〟がふと頭をよぎり、それが次第に心を領するようになった。当時、観光開発ブームが始まり、バードラインとか称する東京からの高速自動車道が建設中であったが、目の前で熱心に学習している生徒たちが一人前になる十五年先に、この信州はどうなっているであろうか。この緑ゆたかな山野をはじめ、醇朴・実直をもって鳴る「信州人気質（かたぎ）」は、その頃まで変わらずに残っているのだろうか。否、信州のみならず、十年先、二十年先の日本は、そして世界は、人類は？　と思いをめぐらすと、〝先のこと〟は一向に見えず、イメージすら描けないことに愕然としたのであった。教育学者は日頃から、教育によって「新しい未来」が拓かれると口癖のように語ってきていた。しかし翻って考えれば、一体〝どのような未来〟に向かって、如何なる〝人類の方向〟にそって、今われわれは教育したらよいのか、真面目に自問すればするほど解らなくなることに苛立った。否、大きな〝ショック〟を覚えたのであった。つまり、人間とその形成に関する従来のような「安直なオプティミズム」では、到底済まされない時代に突入していることを〝覚った〟のである。時代も社会も、人も教育も、今や「深い昏迷」のさ中を、唯ひたすらに〝前へ前へ〟と突き進んでいるのではないのか、それが無自覚のままであるだけ、〝危険〟は一層深刻ではないのか――このような衝撃的な想いの丈（たけ）を、私は帰路の車中で森教授に打ち明けてみた。何らか然るべき教示なり指示なりを仰ごうとしたのであったが、思いもかけず教授は大いに〝共鳴〟され、ずっと議論し続けて帰阪したことであった。やがて教授は、私の想いとは些か別の方向で、翌年『未来からの教育―現代教育の成立と課題―』(黎明書房、一九六六年)をものされたのであった。

右記との連関で、もう一つ印象深い思い出話をしてみよう。やはり一九六〇年半ばに、NHKテレビで「人間にとって階段とは何か」という、一見奇妙キテレツな題の番組が放映されたことがある。これは、当時初めて登場した「歩道橋」という名の――橋と呼ぶには余りにも貧相な――しかも「人類」が初めて経験する新しいタイプの階段に対して、はっきりと疑問を投げかけた番組であった。その鋭い着眼と趣旨についても、森教授とずいぶん意見を交わした記憶がある。およそ世間話など一切なさらなかった教授との対話は、今更ながらに懐かしい限りである。この番組の問題提起を受けて、例えば、歩道橋なる代物が果たして〝人間のため〟のものといえるのか、それとも自動車を主人公とする交通システムの一環に過ぎないものなのか、あるいはまた、モータリゼーションないし車社会に象徴されるごとき、「効率と利便性・経済性」一辺倒の現代文明なるものは、そもそも「人間が真に人間らしく生きる」という究極の目的に〝相反する〟ものではないのか、そしてその意味で、この歩道橋の出現は、ちょうど当時(一九六七年)南アフリカの外科医バーナードによって断行された「人類初の心臓移植」にも、本質において〝相通ずる〟重大問題なのではあるまいか等々、議論は止まるところを知らずに続いたのであった。これら長期にわたる対話を通じて常に持ち続けた私の視点は、要するに「現代文明」の、またひいては「現代教育」が内包する本質的な問題、すなわち、「人間存在」における「目的と手段」との根本的〝逆転〟に関する危惧と懐疑だったのである。

以上は、私の阪大助手当時の個人的体験の一端にすぎない。けれども、現代における人間と教育の深い昏迷について、内外の識者たちが同様の強い危機意識をもち始めたのは、どうやら一九六〇年代後半頃からであったと思われる。

芹沢俊介氏によれば、一般に日本の家族の在り方が「教育を中心に据えた家族」へと急旋回していったのは、七〇年前後からであるという。ここにいう「教育中心家族」とは、〝より高い学歴〟を子供たちに与えることが最大の願望であり、これを最高の課題とするような家族のことである。高学歴を約束する有名幼稚園への「お受験」が流行現象となり、高校への進学率が九〇パーセントを越える事態が現出したのは、七〇年代半ばからだったというのである。

ところで、このような「高学歴信仰」の一般化と〝並行〟して、子供たちの「遊びの形と質」が著しく変化したことに――藤本浩之輔氏や仙田満氏とともに――注意しなければなるまい。かつて子供の遊びといえば「群れ遊び」が常識で、これが人間形成に果たした役割は極めて大きかった。異年齢の子供らが群れて、「うまとび」や「おしくらまんじゅう」などに打ち興じながら、互いの体力を計り合ったり成長の度合いを確かめ合ったりしたものである。躯をぶつけ合うことで、自分の内に潜むエゴに気付き、またそれの挫折を〃いや〃というほど味わうことも出来た。喧嘩したり、泣いたり怪我したりしながら、「自然に」手加減や我慢する術を覚えたのであった。また、三角ベースなどの遊びでは、参加する人数に応じて自在にルールを変えたり、新たなルールを取り決めたりする経験を通じて、「仲間集団」における〃約束事〃の意味も体得できた。

ところが七〇年代に入ると、急激に進む宅地造成や観光開発、そしてテレビやテレビゲームの更なる普及、加えて少子化と先述の「高学歴志向の進展」等々によって、子供の群れ遊びは、すべて〃昔語り〃になってしまった。遊びの場が戸外から屋内に、同時に群れ遊びが「独り遊び」に変わって、お互い「生身の躯」で覚え知る〃仲間意識や友情〃は、ほとんど芽生える機会さえ失われてしまったのである。その結果、長じても対人関係は未熟のまま、疎遠な人間関係はますます抽象化・形骸化・空疎化を深めるばかり。こうして、「幼少期」からの基本的な「他者経験」の〃不足ないし欠如〃は、「教育の実質」を急速に〃稀薄化〃させ、〃貧弱化〃させずには措かなかった、家庭でも学校でも。けだし、相互の信頼に基づく健やかな人間関係こそ、あらゆる教育に不可欠の「前提条件」だからである。

さて、アメリカの著名な文明批評家マンフォードと同様、現代に蔓延する「無意味性」(insignificance)を激しく糾弾し続けたフランスのC・カストリアディスは、一九八二年の論文で、西欧社会の重大な危機の〃一環〃として、「ここ二十年ほどの間」に顕著となった教育の実質的崩壊を挙げ、「家庭と学校」の両面から考察している。「人間形成の第一の現場」である家庭において、男性・女性・両親・子供等をめぐるそれぞれの伝統的役割が〝風化〟してしまい、養育と躾(しつけ)における習慣も機能不全を起こした結果、「家庭そのもの」の陶冶機能が〝矮小化・弱体化〟し、若い世代の頼るべき「人生指針」が消え失せてしまった。そして、それに呼応するかのように、「学校教育」においても、〝何を伝え何を教えるべき〟かの基準が見失われ、教育内容ないし教科内容が危機に直面しているのみならず、〝教師と生徒〟との間に成立すべき教育関係自体も「危殆(きたい)」に瀕している。かつては自明であった「権威」中心の教育関係は崩壊し、それに代わるべき新しい型の関係も見出され得ない状況の中で、〝教師〟にとっても〝生徒〟にとってもあらゆる「教育・学習活動」は、もはや何ら〝情熱の対象〟ではなくなっている。つまり教育は、「教師にとっては〝パンを稼ぐための苦役〟となり、生徒たちにとっては〝退屈な束縛〟以外のなにものでもなくなって」しまった。

つい三・四十年前までの学校は、生徒たちが家庭以外に頼れる唯一の場所であり、学校が与えてくれる諸価値は、異論の余地なき〝確固たる自明性〟をもっていた。しかし、現代はどうであろうか。「甘い家庭」で育ち、「夢も希望も見出せない学校」に通う若者たちが、〝もろに対面〟するのは、「物質的充足」と「安逸」のみを追及する外部社会だけなのである。そこには、宗教的連帯も、思想的連帯も、あるいは共同体や職業との連帯も全然存在してはいない。

こうした如何なる連帯性も欠如した状況の中にあって、若者たちが麻薬・非行・人格破綻など所謂「逸脱状態」に陥らずに済む道は、唯一ホビーの世界にしか見出せない。つまり、徹底的「私事化」(privatization) 以外に「人生の王道」は残されていない。——このような事態こそ、カストリアディスが現代を「無意味性の迷路」に沈淪する時代だ、と断定する所以なのである。

## 「繁栄の貧」

一九七〇年前後から、世界的にも我が国でも、いよいよ顕著となった右のごとき諸現象は、いうまでもなく、いわゆる「高度産業化社会」とその経済最優先の風潮の許で現出した、極めて現代的な特徴の若干である。それらはすべて、伝統的なるもの、自明なるもの、実体的なるものの〝崩壊ないし決定的変質〟に外ならぬものであった。より本質的に言い直せば、要するにそれらは、本来「目的」そのものたるべき「人間主体」と、その「幸福」を実現すべき「手段」ないし「道具」の体系たる文明との、位置関係の〝大逆転〟から生じ来たった現象であり、人間存在における「本末転倒」という、「人類最大の根本的危機」を具体的に証示する出来事なのである。というのも、今日の産業主義経済のもとでは、生産や労働はもとよりのこと、政治や行政も、科学や技術も、また通信や交通、さらには家庭における育児や医療や教育さえも、はては料理や娯楽や消費やホビーに至るまで、有りとあらゆる人間活動の領域において、「人間が人間らしく〝在る〟こと、〝尊厳ある人間〟にふさわしく品位をもって生きること」が、根底から脅かされつつあるからである。

十九世紀いらい産業主義と緊密に結びついた「近代自然科学」が、わけても二十世紀後半以降、各種の先端科学技術の発達を促し、人類に空前の物質的繁栄をもたらしたことは確かである。けれども反面、もともと自然界には存在しなかった各種の核物質や有害化学物質の開発製造により、様々な形での自然破壊、環境汚染が今や臨界点を超えて進行中である。要するに、われわれ人類のみならず、あらゆる生命体の生存をも根底から危うくする——先に「地球破局」と呼んだ——事態を招来せしめたのである。いみじくも一歌人は、こうした事態について早くも三十年前、次のように詠んでいる。「白鷺も川鵜も滅びゆくといふ／棲むべくもなき繁栄の貧」（大岡博氏）と。このように、七〇年には既に公害問題が誰の目にも明らかになっていたが、他方で同時に、繁栄を謳歌する大阪万博が爆発的人気を博していた時でもあった。では、それから三十年を経た現在はどうであろうか。極度の物質的繁栄の裏側で、尊厳あるべき人間の生は、正に「棲むべくもなき繁栄の貧」の只中で呻吟の度を高めつつあるといわざるを得ない。この人間における深刻な「本末顛倒」こそは、奇しくも百三十年ほど前に、かのマルクスが逸早く——主として生産と労働の視点からではあるが——「人間の物件化」

（Versachlichung des Menschen）としての「人間の自己疎外」（Selbstentfremdung des Menschen）を警告し、さらにマシュウ・アーノルドも著名な文明評論の中で、いみじくも「アナーキー」（Anarchy）と呼んで指弾したところの当のものと、本質的には寸分違わぬものなのである。

けれども十九・二十世紀を通じ、とりわけ前世紀後半いらい現在まで、人間存在における「アナーキー」は、時と共にますます深刻の度を高めつつある。その極点において矢継早に出現してきたのが、例えば原子核の分裂・融合の技術であり、各種「環境ホルモン」をはじめとする有害化学物質の開発技術であり、あるいは人工授精・代理妊娠・クローニング等の生命操作技術、さらには出生前遺伝子診断やＤＮＡ組換え等のバイオテクノロジー、そして各種の電子情報に関する所謂ＩＴ等々である。これら「高度先端科学技術」は、ただただ技術的「可能性」（Möglichkeit）の追求だけを目指して日進月歩の驀走を続けているため、そこには、〝過去・現在・未来〟の「全人類」に対する〝倫理や責任〟の観点なぞは微塵も認められない。それというのも、基本的に自然科学の応用に外ならない「先端科学技術」は、その〝方法的戦略〟として、すべてを「物」としての要素に還元し、しかも特定の〝一視点〟からの「目的合理性を専ら追求」するのが常だからである。そしてそのため、自らの「本来的な制約性や道具的性格」については何ら〝自覚〟を持ち合わせていないからである。したがって、自らの技術的発見や開発が、果たして人間の品位ある生を保証するものなのか、むしろ人間の尊厳性を貶しめ、人間性そのものを本質的に〝荒廃〟させる所以のものではあるまいかといった、要するに、〝人間存在全体〟における〝倫理的「妥当性」（Gültigkeit）〟の検討など、端（はな）から〝度外視〟してかかっているのである。しかし、そのような基本性格を本来的にもっていたからこそ、実は先端科学諸技術は、あのように〝破天荒〟ともいうべき経済的・物質的実利、効用を齎し得たのであった。その目覚ましさに〝目を奪われ〟、心も魂も眩惑された結果、われわれ自身のありとあらゆる活動において――先に触れたように――不知不識のうちに人間の「物件化」「手段化」が〝臆面もなく〟進行しつつある現況を「招来」した。その影響は、人間の内面世界にまでも深く浸透し、「人類」が長大な歴史を通じて〝築き上げて〟きた、人間ならではの伝統的な世界観・人間観・価値観・人生観を根底から〝揺さぶり〟、今や人間存在における〝内面性の貧困〟、否、その〝崩壊〟の危機が〝目睫の間〟に迫りつつあるといってよい。その世界観的な根本原因――すなわち、〝人間的生〟のあらゆる局面への「実証主義」の浸透・蔓延――については、かつて本誌紙上で述べたことがあるので詳論は避けたい。しかしそうした連関で、ここで一つ付言しておかねばならない問題がある。

右に、本節の標題にも掲げて説いてきた「繁栄の貧」とは、大局的に見るならば、畢竟、十九世紀中葉にマルクスが、そして「教養の主使徒」アーノルドが、共どもに予言者的明察をもって剔抉した「人間の昏迷」なのであり、また二十世紀に入っては、G・オーウェルが有名な未来小説の形で、あるいはC・チャップリンが諧謔的映像『モダン・タイムス』によって、それぞれ鋭く訴告した「現代人の本質的危機」の問題なのである。では、このような現代に特徴的な危機は、根源的には一体〝どこに胚胎〟するのであろうか。端的に答えるならば、それは、現代人における「超越的視座」の喪失に〝淵源〟するといわざるを得ない。次節では、その問題について、とくに教育における「権威の崩壊」との関連で考察してみたい。

## 教育の危機

上来見てきた現代人における根本的危機が、今日の教育危機の中にどのような姿・形を現わしているのか、そしてそこから、改めて「教育の本質として何を再確認すべきなのか」――これが本節の課題である。

人類史的・文化史的観点からすれば、教育とは基本的に、後続世代を「人間独自の世界」へと、すなわち、人類が幾千万年かけて「わがもの」としてきた有りとあらゆるもの――例えば直立歩行や遊戯をはじめとして、各種の生産労働、家庭や共同体や社会制度、また政治、経済、学問、科学、芸術、道徳、宗教、あるいはそれらを成り立たせている言語、知識、技術、自己意識、美意識、道徳意識、さらには意味や価値、理想や理念等々――から成る「人間ならではの世界」(sound human world, allgemein-menschliche Welt) へと導き入れることである。逆の言い方をすれば、新しい世代として生まれてくる子供とは、単に生命へと呼び出された存在ではなく、遥か以前から存在し、彼らの死後もずっと存続する「人間普遍的な世界」――永続的で死をも超越した世界――との関係における〝新参者〟なのであって、したがって先行世代による教育を通じて、成熟した〝十全なる〟「人間」へと生成してゆくべき存在なのである。

それゆえ、教育する者――親も教師も含めて――の「責任」は、成長しつつある子供の生命の安寧や保全に関わるだけではない。同時に、人間を他のあらゆる存在者から区別する「人間ならでは」の世界へと子供を導き、その独自な世界での「成熟」を達成させるべく〝支援〟することが、〝いま一つ〟の重大な責任である。否むしろ、この後者の方こそが、「教育する者」としての勝れて基本的な責任なのである。そして、その人間普遍的な世界への責任を自ら引き受けるか否かの一点に、教育する者の権威は挙げてかかっているといってよい。多くの知識をもち、それを子供に教える技倆を有していることは、単に知的・技術的に資格があるというに過ぎず、現に〝勝れて人間普遍的な世界〟を充実して生きている「成人」の代表として、次世代に「これが我々の世界だ」と伝える責任を負うところにこそ、教育する者の「権威」は自ずと生じ来たるであろう。けだし、先に示唆したごとく、〝本来的に〟伝統保全的な性格をもつ教育においては、この人間独自の「世界への責任」が、「権威」という形で顕現するのは極めて必然事であろうから。

けれども、可視的で計測可能なものにしか〝実在性〟を認めない「実証主義」の跋扈する現代では、上述のごとき人間固有の世界の中でも、とりわけその最たる倫理的・実践的な中核部分については、もはや完全に等閑に付されている。というより、無視され嫌悪されているといっても過言ではあるまい。だが、その忌避されている「人間ならでは」の実践的世界とは、そもそも如何なる類の、どのような〝意味次元〟での世界をいうのであろうか。それを垣間見るため、ここでは一つの典型例として、所謂「カントの二世界説」を見てみるとしよう。

カントによれば、人間は二つの世界の〝住人〟である。一つは、「自然の因果律」が支配している「感性的現象界」であり、いま一つは「わが内なる道徳律」（das moralische Gesetz in mir）の支配する「叡智界」である。別言すれば、われわれは「事実の問題」（quid facti）領域と、「正しさ（＝権利）の問題」（quid juris）領域とを、謂わば〝同時的〟に生きているのである。カントはまず前者の「事実の問題」として、人間における認識の成立を独自の先験的観念論（認識論上の所謂「コペルニクス的転回」、すなわち、存在が認識を可能にするのではなく、「認識」が「存在」を可能にするという従来とは〝逆〟の考え）によって基礎づけ、それに基づいて近代自然科学の成立可能性を根拠づけた。しかし同時に彼はまた、客観に触れて主観が構成する「認識」の〝限界〟について、したがって、それが成立する「現象」（Phänomen）界の限界についても明確に指摘した。そして、それをも越える〝ヌーメノン〟（Noumenon：本体、「物自体」と同義）が、認識主体であると同時に意志主体でもある「自我」に実践上の究極的根拠を与えるという形で、人間存在における二世界による「非連続の連続」構造を明らかにしたのであった。そしてその際、ヌーメノンに究極の根拠をおく「正しさ」（Recht：権利）は、〝人間ならでは〟の「理性の事実」として、すなわち道徳的意識、および道徳的判断として与えられると説いたのであった。しかも、「自然法」論者であったカントはこの発想から、人間「天賦の正しさ（＝権）」（das angeborene Recht）として「人格性」を基礎づけ、それの現成（げんじょう）を要請したのであった。このような「実践理性の優位」（Primat der praktischen Vernunft）と称される彼の思想は、――一般に解釈されているように――単に彼が哲学的理論体系の整合性を図ったという以上に、実はもっと〝深い〟意味合いを含んでいるといえよう。つまり、「人間の実践的正しさ」（Recht）というものは、有限な人間の〝認識〟を遥かに超えたところで、何らかの〝超越的な視座〟に立つとき――例えばカントにあっては、人間の客体的認識力とは全く別次元の「構想力」（Einbildungskraft）に由る「仮象の世界」（Scheinwelt）のリアリティが承認される時――はじめて「叡知的秩序」の世界が「畏敬」の念とともに明らかになるのであろう。こうしてカントは、畢竟するところ、人間が「人間たる資格」を有ち（も）得る「権利根拠」（Rechtsgrund）を索問しつめた結果、右の「叡知的世界」（die intelligible Welt）こそ、「人間ならではの最たる世界」に外ならないことを発見したといってよい。そして「目的の王国」（Reich der Zwecke）とも呼ばれるこの「実践的領域」こそが、正しく「人格」を〝目的そのもの〟とする世界であり、〝諸々の物件〟はそれに奉仕する「手段の限り」でのみ、人間的意味をもち得るはずの世界なのである。

ところが、今日われわれの日常的生活のほとんどは、快楽や富といった物件的なものを目的と見做し、人格が却ってその手段とされるような〝逆立ち〟の秩序を露わに示している。しかも、カントにおけるごとき実践的・理念的世界が、もはや現実を導く何らの力も有ち得なくなった一般状況のもとでは、〝教育する〟者の「課題」も、当然、本末転倒を起こさざるを得ない。しかし、こうした「逆転」現象は、――先にも述べた通り――そもそも今日に始まったことではない。教育の上でそれを最も端的に反映しているのは、二十世紀初頭いらい世界的流行となった所謂「児童中心主義」の風潮である。そこでは、「児童」という一点にだけスポット・ライトが当てられ、上述のごとき「人間普遍的世界」の〝伝統〟へと子供を導くという、「いま一つ」の教育の高邁な課題は度外視されたため、人間形成の全体から見て著しい〝視野狭窄〟が起こり、教育目標は〝矮小化・貧困化〟し、教育課題も極めて〝近視眼的な問題解決型〟のそれに限られる結果となった。しかも、そのさい高調される「自己実現」という耳当たりのよい合言葉にしても、実現されるべき「自己」とは、実は人類史を通じ営々として創り上げられてきた「人間普遍的なるもの」との真摯な「対質」を通じ、たえず〝鍛え上げられ陶冶されて〟はじめて、人間ならではの〝高品位の自己〟へと生成し来るものだという、基本的な見識を欠いている。そのため野放図かつ脆弱きわまりない自己、つまり、単なる「我欲・我執」(acquisitiveness, Selbstsucht) と何ら選ぶところのない「低次元の自己へ」と、子供たちを頽落させてしまう結果に陥っている。教育する者がそれすら全く気付いていないのは、まことに〝危うく〟、かつ〝空おそろしい〟ことという外ない。

この「お砂糖まぶしの甘い教育」(sugar-coated education) とさえ揶揄される「児童中心主義」の許で、しかも近代心理学からの影響とも相俟って、教育学はいうなれば「教授法一般」の学へと〝成り下がって〟しまった。教育学はたえず、目新しいけれども本質的には〝些末〟で〝技術的・操作的な〟諸課題を志向するため、「人間が人間たる〝所以〟の世界」に対する共通の敬意・尊崇としての「良識」(common sense, bon sens) なぞ一切無視し、それに基づく〝骨太の教育原則〟についてもすべて放棄してしまうに至った。一例を挙げれば、「遊び」が過度に作為的に重視される反面、「成熟した大人」の世界を子供に準備させるための「勉学」は軽視されることとなった。その結果、勝義の「人間普遍的な世界」への〝憧れ〟や〝尊崇〟という「共通感覚」の啓培をはじめ、勤勉・忍耐・克己・集中・持続・誠実等々の「生活習慣の確立」など、子供が〝人間的成熟〟を遂げてゆく上で必須の諸課題が蔑ろにされてしまった。そこでは、子供の自主性・自発性の〝尊重〟という美名のもとで、実は子供が成人の普遍的世界から〝締め出され〟、極めて人為的に子供自身の〝狭い、未熟な世界〟の中に「閉じ込められ」ているのである。これは正に、児童「中心」とは〝裏腹〟に、却って子供たちから高品位の普遍的世界への可能性を剥奪してしまっているというべきであろう。それが無意識に励行されているだけに、よけい怖しいといわねばならない。

その端的な事例として、近年とみに話題となっている「国民総ナンバー制」の導入について、一言〝苦言〟を呈さざるを得ない。数字の単なる羅列を以って、個々人の「身元証明」(identity)と見做すとは、一体どういうことなのか。本来「人格的主体」たる個々人の尊厳の毀損にも相通じかねない、不条理極まる——故意か否かは別として——ともかくも取扱い上の利便性を最優先させる——粗暴な施策に潜む、本質的な危険への顧慮を欠く、不見識を看過すべきではないと思う。蓋し、これを当然のことと許容する姿勢・態度が昂ずるならば、その必然的帰結として、現代人は家庭でも学校でも、上来しばしば指摘してきた「教育における本末転倒」に、無意識のままに拍車をかける所以となること必定であろうから。

以上において、世界観的には十九世紀いらい拡大してきた「実証主義」とそれに基づく「科学万能主義」によって、一般に教育の大前提たるべき「人間普遍的世界」へのコモン・センスが、次第に稀薄化の方向を辿り、今日ほとんど欠落してしまった状況について見てきた。そこでは必然的に、教育それ自体の権威は消滅せざるを得ず、したがってまた、教育する者の〝権威〟も根本から霧消せざるを得ない。このように人間の「人間ならではの世界」に対する尊重・崇敬の念の衰退、否むしろ、それへの不信ないし忌避に由来する「権威喪失」こそ、実は現在の〝教育荒廃〟の最も本質的な要因であることは、もはや疑問の余地なく明らかであろう。けだし教育は、「人間普遍的世界」の権威と伝統なしには、〝そもそも存立し得ない〟営為だからである。このことを、我々は改めて真剣に再確認する必要があるのではあるまいか。

## 教育と超越

前節では、現代の教育危機の本質が「権威の消失」にあり、しかも根本的にはそれが、人類史を通じて〝普遍的に妥当〟する「人間ならではの世界」に対する尊敬の喪失に由来するのを見てきた。そこで本節では一歩を進め、教育と超越との〝必然的関わり〟について、原理的な考察を試みよう。

教育する者が、子供らの生命への配慮と同時に、人間普遍的世界へと彼らを導き入れるという二重の責任を負うべきことについては、先に述べた通りである。そして、その「人間ならではの世界」の中枢的部分が、広い意味での「倫理」に関する領域であることも示唆しておいた。とりわけ今日、物質的繁栄のさ中で失いかけている人間ならではの「モラル」についで問い直すこと、より根本的には「いかに生きるか」「人間として〝生きる〟とはどういうことか」「生涯を通じて〝涵養〟されるべきものは何か」「自らが〝拠るべき倫理的理念〟とは何か」等々といった、最も困難だが最も基本的な問いについて、改めて〝真正面〟から問い直すこと——これこそ、われわれにとって喫緊の課題というべきではあるまいか。こうした問題についての、わけても〝教育する側〟の人間の思慮・分別・識見が、青少年の人間的・精神的成熟にとって、いかに〝掛け替えない重さ〟をもつものかについて、深く認識すべきであろう。例えばソクラテス・プラトンにしろキケロにしろ、あるいはルターやカント、ニーチェやアランにしろ、はたまた孔子や親鸞や道元にしろ、要するに「人間普遍的世界」をもろに代表（re-present）している「偉大な個性」たちとの対話・対質を、青少年たちと共々に実行してみるのも一策であろう。故人たちの〝躍動する精神〟に聴き入り、若い魂ともどもに心を震わせる〝感動の共有〟を通じて、「人間いかに生きるべきか」を求索することが、何らかの〝超越的視座〟を自他の胸裡に深く養い育てる所以ではあるまいか。

しかし、「超越」の問題が深い関わりをもつのは、何も右のような教育の最終段階だけにには限らない。それよりも遥か以前の、最も初発的な教育段階においても、実は「超越」が根源的関わりをもっていることに、ここでは特に着目してみたい。ずばり「直立歩行」に関わる問題から始めよう。周知のとおり、人類が気の遠くなるほど長大な「ヒト化」（hominization）の過程を通じて、「ホモ・〝サピエンス〟」（homo sapiens：賢慮の主体）へと進化したさいの決定的契機であった「直立歩行」とは、新生児にとっては否やも応もなく、いきなり生涯最大の難関に直面させられることに外ならない。この難関突破を「必死の念い」で〝助け成らせる〟ことは、正に親たる者の重大極まりない教育責任でなくて何であろうか。先に、子供の生命的・身体的安寧への配慮と努力が、教育する者の責務の一つであると述べておいたが、その中でも特に枢要な、つまり、子供が〝人間になれるか否か〟の身体的・精神的な「瀬戸際」に関わる難事業が、すなわち「直立歩行」を〝教え込む〟ことなのである。しかも、生後わずか十カ月足らずの間にそれを成し遂げるには、古諺にもいう「這えば立て／立てば歩めの親心」の〝切実さ〟が是非とも不可欠であることはいうまでもない。けれども、その「親心」の〝背後にある〟ところのものは、いったい何であろうか。一般に解されている甘やかな情愛などといった、〝生易しい〟事柄ではあり得ないのである。直立歩行とは、二次元から三次元の生活空間への一大転換に外ならず、その難関突破のためには、両親はじめ周囲の大人たちは二つのことに努力を〝傾注〟しなければならない。すなわち第一に、乳児の脊椎骨を逆S字形のそれへと「変形させる」こと、と同時に第二として、〝異次元の生活世界〟への「参入」に伴う抗し難い心理的恐怖を、繰り返し励まし煽てたりして〝克服させる〟ことである。この「励まし」や「親心」なるものの〝背後〟には、明らかに――今日の児童中心主義的な教育が最も忌み嫌う――ある種の「強制」(compulsion, Zwang) が〝潜んでいる〟ことを、われわれは厳正に直視すべきであろう。

ホモ・サピエンス最大の特徴たる「頭脳化」を結果した直立歩行は、それゆえ人類の最も基本的な姿勢ないし行動であるのみならず、あらゆる「人間普遍的なるもの」の生物学的ルーツに外ならない。その意味で、人の子を「人間」たらしめる最初にして最も根本的な教育活動が「直立歩行」の〝強制〟なのであるが、それだけに、われわれは日頃から極く自明なこととして、平気で子供にそれを「課して」いるのである。だが、この何らの不思議もない自明性の裏には、実はわれわれが密かに〝覚知〟している「超越なるもの」が潜んでいるのではあるまいか。あれほど「もの凄い」ばかりの強制を理不尽にも施す〝実践的〟「正しさ」は、いったい何処にあるのか。その「正しさの根拠」(Rechtsgrund：権利根拠) は、――ふつうの形式論理によっては到底捉えがたい――真正の「人間自然」(human nature, Menschennatur) ないし「人間必然的世界」の根源的〝ロゴス〟によってのみ把捉可能なのであって、それこそが正に「超越」と称されてよいものであろう。それは、――必ずしも形而上学上の超越とは言えないけれど――自然の「因果律」を遥かに越えた別次元のロゴスに依る、人間精神固有の世界における最普遍者と表現することも可能であろう。けれども表現はどうであれ、要するにわれわれは、――単に「強制」の場合のみならず――あらゆる教育的行為をなすに当たって、その究極的・絶対的な「原根拠」(Urgrund) として「超越」を〝要請〟せざるを得ない、あるいは、〝想定〟せざるを得ないともいうことが出来よう。つまり、実践に際しての「正しさの根拠」として、われわれ人間は、「超越」をリアルに実感する力を本来的に、あるいは〝先験的〟

(a priori) に有しているのである。そして、このような絶対的・究極的な「超越」に「触れて」いればこそ、すなわち、何らかの意味でそれを「覚知」（innewerden）していればこそ、われわれ教育者は、はじめて信念と権威をもって教育実践に〝取り組む〟ことが出来るはずなのである。因みに前節で、「人間普遍的世界」への畏敬・尊崇としての「良識」と、それに基づく信念と権威とを、現代教育に是非とも取り戻さなければならないと示唆した所以も、畢竟、この一点に収斂することは断るまでもない。

さて、右に見たごとく、人間における究極の「人間ならではの自然」（human nature）の内にこそ、実践的「正しさの根拠」としての「超越」が伏在しているとすれば、人間が新たな「いのち」を産み出す「出産」という行動の背後にも、「超越」を認めざるを得ないであろう。人類としての数十万年にわたる「いのち」を〝再生産〟することは、文字通り命賭けの一大事である。自らの命を賭け、血と涙と汗と糞尿の只中から新たな「いのち」が輝き出てくる――この人知・人力では如何とも為しがたい「絶対の大矛盾」を、外ならぬ「我がこと」（das Mein）として〝丸ごと〟引き受け得る究極の「拠り所」（Urgrund）は、いったい何なのであろうか。それは正に「超越」を措いて外にはあるまい。超越に触れ、超越の意識に支えられて、はじめて超克可能となるような難事に、我々は生きて在る限り幾度（いくたび）も直面せざるを得まい。「死の受容」も、正にその最たるものの一つであることは、あえて断るまでもなかろう。

人間の生涯を通じて、このように我々自身の力や計らいを〝遥かに超え〟て、〝有無をいわせぬ〟圧倒的な力で人間に迫り、あるいは人間を支え導くところの究極者、絶対者、最普遍者が存しており、それは「超越」としか呼びようのないものである。仮え(たと)それが、ベルグソンの説くように人間知性の「仮構機能」(fonction fabulatrice)による〝仮象〟だとしても、しかし現実にそれが、人々に対して必然的・絶対的な力を及ぼし、人々を「人間ならではの正常な生」(sound human life)へと励まし導き充実させるという事実が認められる以上、それは正に「人間の〝真実〟、人間ならではのリアリティ」(human reality)として認識されざるを得まい。換言すれば、超越は明らかに「規制的原理」(カント的 regulatives Prinzip)として、われわれの実践に対して〝課題的作用〟を及ぼしているのであり、超越が「教育」と必然的に深く関わる〝由縁〟も、根源的にここに存するといわねばならない。

そこで、こうした連関において、〝いま一つ別の角度〟から補足的に指摘しておきたいのであるが、かつてM・ランゲフェルドは、「教育とは、子供が発する〈なぜ自分を産んだのか〉という問いに対する、親としての〝実存的回答〟に外ならない」と述べたことがある。今これを〝我々の文脈〟で捉え直すならば、次のように言うことが出来るであろう。本人からの要請も〝ない〟まま、勝手に此の世に〝人間としての生命〟を与えてしまった以上、その「吾子(あこ)」に対して究極の責任を果たすためには、直立歩行をはじめとして、あくまでも「人間ならではの世界」において〝十全な生を全う〟し得る、より高次の諸能力を最大限開発すべく、親は全力を尽くして「教育する」以外に道はない、と。そして、その長期間にわたる各種各様の教育を、〝確たる信念と権威〟をもって実践する際の、ありとあらゆる「正しさの根拠」（権利根拠）は、やはりここでも「超越」以外にはあり得ないであろう。

## 超越の忘失と再生

前節を通じて見たとおり、「超越」は、人間生活にとって決して〝特別な〟ものではなく、極めて〝身近な事柄〟だといってよい。われわれは日頃、超越なるものを特に意識していないだけであって、実は絶えずそれに「即して」生きており、それに「拠って」教育もしているのである。その意味で、われわれの日常は〝超越なし〟では成り立ち得ず、逆に超越は、日常性の外には〝存在し得ない〟はずなのである。

それにも拘らず、われわれ現代人が、超越の問題に無頓着・無関心で生きているのは「何故」であろうか。一つには超越なるものが、そもそも人間にとって〝極く自然〟であり、余りにも〝必然〟であるが故に、却って自覚し難いのであろう。しかし第二に、――すでに度たび指摘したように――世界観としては「実証主義」が、そしてそれに基づく「科学主義」

「産業主義」「経済至上主義」が、われわれの〝意識の隅々にまで〟深く浸透している現代では、「目に見えぬ」もの、「計測不可能」なもの、総じて内面的・質的なものに対する「感受性」が全く〝鈍磨〟してしまっていることこそ、より決定的な要因である。

現在われわれは、人間存在の〝必然的契機〟としての「超越」をすっかり〝忘れ〟、その自覚を全く〝欠い〟てしまった。そのため、われわれの日常性そのものは大変「薄っぺら」で、吹けば飛ぶような「軽い現実」でしかなくなっている。逆にいえば、「実証主義」に汚染された「日常性の衰弱」が、われわれの〝悠久を視る眼〟、〝超越を感じとる心〟を狂わせてしまった。こうした「超越の忘失」という精神風土の只中で、教育もまた——先に掲げたヤスパースの「教育の実体崩壊」という警句を引き合いに出すまでもなく——極めて〝深刻な事態〟に追い込まれている。現在われわれは、かのペスタロッツィのいう「最も身近で最も自然な関係」（die nächste und natürlichste Beziehung）たるべき「超越」を、もはや活き活きと観ずる力を失なってしまった。その結果、教育の日常的現実は、先に見た通り、「骨太で逞しく豊穣な実質」を喪失し、専ら形骸化・空虚化の一途をたどりつつある。と同時に、教育をめぐる多種多様な論議も、〝皮相かつ煩瑣な論理〟による「空中ショウ」のごとき観を呈しており、徒らに〝喧しい〟だけの「空疎なコトバ」の氾濫に堕している。要するに「超越の忘失」こそが、現代人における、また現代教育における「最も根本的な危機」であり最も「本質的な不幸」である、と断ぜざるを得ない。

では、何故そのように断定するのか、その謂れを詳らかにしなければなるまい。というのも、こうした根本的な問いを問うこと自体が、実は、われわれが上記の本質的危難を突破し、その不幸から脱却してゆく捷径なのであり、同時に唯一・最善の道に外ならないからである。

人間は先史時代より、「すでに叡智と想像力（la sagesse et l'imagination）に恵まれた存在として行動していた」と宗教学者M・エリアーデが繰り返し強調するとき、また深層心理学者C・ユングが論文「太古の人」（The Archaic Man）において、彼らは目に見えないものにリアリティを実感することの出来た「夢みる人」（dreamer）であったと力説したとき、それぞれ別の論調と表現ではあるが、彼らの主張がはしなくも指し示しているのは、次の一点であるといってよかろう。すなわち、人間は元来イマジネーションによって、見えないものについても――否、場合によっては見えるもの以上に――実在性を感得できる形而上的存在であって、ほんらい自己を遥かに超える絶大無限の存在を〝念頭〟において行動することが出来、それゆえにこそ、また自らの有限性をも識っている「自覚的存在」であった。

他の動物と異なり、人間は「鏡」を覗き見るのが大好きであるが、そこに端的に現われているように、人間はいつも「自分が気になって」仕方のない存在である。換言すれば、〝自分自身にとって〟常に「自分が問題」なのであって、自らの現状を絶えず省み、その限界を〝乗り超えよう〟と努力する自己反省的・「自己向上的な存在」なのである。つまり、自己超越的な〝志向〟の極めて強い「自覚的存在」なのであって、それゆえにこそ人間はまた、いかなるときでも「自己弁証」しなければ〝得心〟できない存在だといってよい。してみれば、「自省」ないし「自覚」という人間ならではの形而上的特徴こそが、われわれの内なる「良心」や「超越」の由って来たる〝根基〟なのであって、何らかの行為をなすに当たって、われわれがその「正しさ」や実践的「妥当性」を慮り、その究極的根拠を請問してやまない〝由縁〟は、すべてそうした「人間必然的」ないし「人間普遍的」な根本特性に存するのであろう。こうして、人間は自覚的存在である限り、本来的に「善く生きること」への根源的エートスを潜在的に有しているといってよい。そして、そのさいの善や正義や倫理的妥当性の根本原理として、——さらに敷衍すれば、あらゆる価値や意味の究極的・絶対的な「原根拠」として——強く思念されるのが即ち「超越」に外ならず、これこそが、われわれの内面で不断に「良心」ないし「ダイモニオンの声」として〝生き生き〟と「現成」し来たる当のものなのである。このような、〝不可視的〟ではあるが確実に人間行動を規制する、——自覚にはじまり良心や超越、また恥、誇り、名誉、さらには「畏敬や祈り」までの——あらゆる精神的・倫理的・人格的連関の〝全体〟を、普通われわれは「内面性」と呼んでいるのである。

ところが、昨今の聞くも無惨、語るも無慚な事件の数々に徴するとき、人類が長大な歴史の積み重ねを通じ、しかもペスタロッツィの所謂「死の飛躍」(salto mortale)によって、新たなる次元を画し得た人間特有の「内面性」の伝統が、今や現代人によって、ことごとく瓦解させられつつあるといわざるを得ない。この〝人類史〟における戦慄すべき「二律背反」の事態を直視するとき、現代のわれわれにおける「超越の忘失」と「内面性の崩壊」は、人間存在にとって最大の悲劇と呼ばずして何であろう。

では、このような人間存在の本質的危機から「立ち直る」道は、果たして見出し得るのであろうか。たった「一つだけ」、正面突破の道がまだ残されているかも知れない。人間が今後も人間であり得るか否かを決定づける最も〝厳しい（crucial）道〟である。それは、正に「不退転の決意」をもって、われわれ一人々々が次のような実存的課題を、実践的に行ずるか否かにすべて掛かっている。すなわち、右に見た人間ならではの「内面性」とは何かについて、〝自らの実人生の一駒々々〟に引き据えつつ、絶えず自己検証し直し、そのことを通じて「人間の人間たる所以」についての「確固たる信念」を、自らの内奥に〝回復・蘇生〟させ得るか否かに掛かっている。――いな是が非でも、その〝血路〟を自らの胸裡深くに「切り拓いて」ゆかねばなるまい。人間が今後とも、「人間存在」であり続けるためには。

しかし、そのためには〝容易ならざる覚悟〟が必要である。老ゲーテ風にいえば、正に「死して生れ(な)！」（Stirb und werde !）という要請を、自他に向かって突きつけるだけの覚悟がなければなるまい。その〝凄絶さ〟を識るよすがに、ここではＰ・メリメの短篇集から――少なくも十八歳の私にとっては凄まじいばかりの衝撃であった——一つの挿話を簡単に紹介しよう。恐らくは実話に基づくこの作の主人公は、コルシカ島山間部の地主マテオ・ファルコーネ、その主題とするところは多分「約束を守る」ということであろう。マテオは、十代の息子が金貨と引きかえに前夜から納屋にかくまっていたお尋ね者を、老獪な官憲の口車にのって〝売り渡して〟しまう場面に、はからずも家長として立ち会ったのである。騒動が一段落したとき、マテオは息子の眼を見凝(みつ)めながら、ただ「一点に」ついてのみ繰り返し問い糺し確かめようとする。「お前は、あの男と〝約束〟したのか」「本当にかくまうと約束したのか」と。遂(つい)に息子は正直にそれを認め、小さく〝ウィ〟と答えた。屋内にとってかえしたマテオが静かに再び現われたとき、手には「銃」が握られていた。そして、家族たちの哀願と号泣の中を、〝愛息と共に〟裏山に消える。暫くして銃声が轟いた。

この話を、因習的な閉鎖社会の頑迷固陋さを物語るエピソードと見るのは、いと易いであろう。そうした一面がなくはないけれども、この父親マテオには、しかし明らかに、内在的超越としての「良心」がある。全人類に普遍の「善く生きること」への根源的な確信と意志とがある。正にこの点に、われわれは襟を正して〝脱帽〟すべきではあるまいか。人には、死を賭しても守らなければならない「大事」がある。個々の生死を遥かに超えた人間普遍の大事があり、それを必死に守り通すことが、すなわち個々人にとっての〝名誉であり、衿(ほこ)り〟である。約束を守ること、信義を重んずることは、決して単なる個人的事柄ではなく、正に命をかけても揺るがせに出来ぬ〝重大事〟なのである。約定を守ることは、いわば過去・現在・未来に亙る「全人類に」対して個々人が負うべき最大にして厳格なる義務であり、真摯な責務でもある。そのことを、マテオは――単純素朴な人柄であるだけに――自らの人生を通じて直截に「明察」していたに違いない。事ここに立ち至った以上、「人の道」の何たるかを〝証し〟すべく自ら我が子の命を断つことが、このさい彼と息子の名誉を救い得る唯一の手立てであり、そうすることこそ、〝尊厳あるべき〟人格として息子を永久に生かしめる所以であることを、〝深いところ〟で彼は得心していたに違いなかろう。けだし、人間実存にとって「名誉」とは、決して他人から与えられる社会的評価や賞賛ではなく、自己自身に対する誇り、否、自己の〝内なる絶対他者〟としての「超越」に向かう「自恃」であり、省みて些かも「良心」に愧じることなき清々しい「内的矜持」の別名なのだから。

さて、我が子や教え子に対し「死して生れ！」と迫ることなぞ、つゆ思い及ばぬ昨今の脆弱な精神風土にあって、では悠久の「人間普遍的世界」を保証すべき内面的価値や倫理的意味を、一体どのようにして子供たちに〝味得〟させ、さらには「価値を価値として意識させ」、「意味を意味として自覚させ」る根源としての「超越」に、いったい如何にして触れさせることが出来るのか。その日常的・具体的方法について、実は以前から胸に温めてきた「深みへの教育」

〈Education for the Depth〈of Humanity〉〉の構想がある。当初の予定では、それを開陳して本稿の締め括りとするつもりであった。しかし紙幅も果てたので、詳しくは他日を期さざるを得ない。けれども最後に、一言補足しておかねばならないことがある。

右に現今の「人類の本質的危機」を脱却するには、まず〝教師〟も〝両親〟も、従前からの優柔不断の人生態度を棄却して、各自がそれぞれに担うべき人類史的・実存的責務を誠実に実践・実行する覚悟が不可欠である、と述べておいた。けれども、それは決して肩肘張った抽象的な覚悟を意味しているのではない。個人的な利害は無論のこと、自己の心身両面の「生死（しょうじ）」の問題さえも、截然と超脱し、真正の〝ホモ・サピエンス・サピエンス〟――すなわち「賢慮の主体」たる人類固有の〝内面界のリアリティ〟を真っ当に是認・承引し、その充実にポジティブに参与する「自律的人格」こそ、私が志向する理想の人間像なのである。

そうした凛乎たる人間のことを、世人は「一廉（ひとかど）の人物」（Person von Konsequenz）と呼んでいると思う。一貫した倫理的信念と高潔な品性を具えた人物の許でのみ、穏和でも圧倒的人格力に充ちた、ヤスパースのいう「実体的教育」（Substantielle Erziehung）が、必ずや現実化し、それがさらに「天地の化育に讃ずる教育」（木村素衛）にも連なりゆく道でもあろう。してみれば、不断に自己陶冶に励む「教養人」（der Gebildete）こそ、本来的に「教育者」の名に値することになるであろう。かくて、遠く古代ギリシアにおいて、かのソクラテス、プラトンが、いみじくも喝破した次の箴言（しんげん）を、今なお根本的真実として、我々の基本的指針と為すべきであろう。曰く「予（かね）てより自己の人間陶冶に勤んだ体験の持ち主が、結局〝教育者〟に相応しいのだ」と。

［了］

（初出『教育哲学研究』第84号、平成十三（二〇〇一）年十一月十日）

# 三　「まっとう」であること
## ——いま、なぜ世界観への問いか

一

今年も、あやなす緑の季節がめぐってきた。広島原爆直後の修羅の巷で、生きることの「業の深さ」を己れの内に嫌というほど思い知らされた私が、その悍(おぞま)しさの自覚を長いこと引きずりながら、それでも何とか学問にしがみついて生きようと思い定めたのも、この眩いばかりの若葉の候であった。池大雅の絵が見事な写実であることの驚きと歓びを初めて知った、初京都での新緑の印象を今も忘れ難い。

顧みれば早いもので、西欧ヒューマニズムの歴史的研究に手を染めてから、半世紀ちかくにもなる。古代ギリシア・ローマに発する「フマニタス」（人間性）の理念が、ルネサンス期のヒューマニズムを経て、一方ではイギリスを中心に、他方では少し遅れてドイツで、それぞれの特色をもって土着化・制度化され、そこに所謂「イギリス紳士」（English Gentleman）と「ドイツ的陶冶」（Deutsche Bildung）という二つの陶冶理想として焦点化され、ともどもに近代ヨーロッパ世界の文化と教育を主導するに至った展開過程について、特に「思想の制度化」の局面に着目しながら追求してきた。

その遅々たる道程を通じて次第に学び得たことは、結局つぎのような人間における或る種の「逆説」であった。すなわち、人間性（humanitas）とは決して「所与」ではなく、たえず「より人間的なるもの」（humaniora）を目指してやまぬ積極的な「陶冶と、その成果たる教養」（Bildung）なのであって、それゆえに、人間を遥かに超えたものへの憧れと畏れをもって不断に努力を重ねる過程にこそ——つまり、人間を超えた何か「全きもの」（das Heilige）、何らかの意味での「超越」を思慕し愛求する努力を通じてのみ——はじめて人間は人間であり得るということを掴んだように思う。それは然し、決して単なる論理的な逆説ではなく、人間存在においては却って紛れもない実存的真実であるが故に、勝義の「イロニー」と呼ぶべきものであろう。

## 二

さて、このような観方に立ってみるとき、われわれが生きている現代は、人類史上きわめて異様な時代というほかはない。というのも、本来の人間の在り方から逸脱してしまったという意味で、正しく「エキセントリック」（ex-zentrisch）な時代であり、人間としての生き方が「まっとう」な中心軸からズッコケてしまった、いうなれば「本末転倒」の事態が、高度産業化社会の背後でどんどん進行しつつあるからである。

早い話、経済という言葉一つとってみても、この本末転倒は歴然としている。かつて貧乏が恥でも悪でもなかった時代には、「経済」とは節約・倹約・節倹、つまり無駄使いせず、物を大事に「始末し」たり「遣りくり」することであり、それはまた、人間の「生き方」として節制・少欲・節度を尚び、身勝手な欲望を我慢し、自らを律する品位ある生活態度を選びとることにも繋がり、その意味で、人間ならではの「自足」の境地や「知足」の徳にも通じ、やがてそれは、文字通りに「有り難く」して此の世に生を享けて在る、己れの現存在を神や仏に感謝する信仰心（pietas）にも連なりゆく、勝れて人間的な活動の全体だったのである。それが今日では、経済とは専ら金儲けの代名詞でしかなくなり、利潤や利殖のあくなき追求、つまり拝金主義ないし物質的貪欲さの象徴と〝堕し〟てしまっている。そこには、むき出しの「欲望」ないし「我執」そのものがあるだけで、人間の営みらしい品位や尊厳や畏敬など、もはや微塵も介在する余地さえなくなっている。——このような本末転倒が到る処で蔓っている現在の一般的状況は、人類史的にみて極めて異様だといわざるを得ない。では、こうした「異様さ」、このような類の「本末転倒」は、いったい何処に胚胎するのであろうか。

現代人は、まことに「子供じみた」世界を生きているといっても過言でなかろう。ここ二、三百年らいの欧米型近代世界が、ついに行きつく処まで行きついた極点が、すなわち「現代」だといってよい。特にここ二百年の間、近代人は次々に新しいものを発明・発見し、目新しいものだけに興味を覚え、一旦手に入れたものは直ちに取り散らかし、その「後始末」なぞ全く眼中になく、ただただ欲望の赴くままに新奇なものを追いかけ廻す——まるで「駄々っ子」のような存在であった。つまり、成熟した人間としての「分別と内省」を欠き、自己の生き方に対する批判性も抑制力も失った状態に頽落してしまったのが、すなわち近代以降の人間の偽らざる姿ではあるまいか。しかも、それと共に近・現代人は、「人類」が実に数千世代かけて「脱有機体化」(Ent-organisierung) を進めつつ創り成してきた「人間ならでは」の価値や美徳や叡智を、後続の世代へと承け渡すべき如意や術さえも、すでに持ち合わせなくなっている。

かつて神や仏という絶対の超越者が、目には見えずとも確かなリアリティをもって感じとられていた時代には、人間は絶えず全知全能の超越者によって見詰められている存在であり、それゆえ己れの内面をたえず凝視し、内省を繰り返しつつ持続的に「自己を一事に集中」することが出来た。ところが、産業革命以降の人間は、次第に自己批判力を喪失し、自らの「限界性」を自覚できないようになったため、自分自身すでに十全な大人であるやに錯覚し、何事も意のままに出来る存在であるかに「思い込んで」些かも疑わなくなった。近・現代人は万事につけ――意識するとせざるとに拘らず――いわば神に代わって、自分を世界の中心に位置づけるところから出発しているため、己れの際限なき欲望を「傲慢」(superbio、ルター)として戒める術も持ち合わせぬまま、知的なそれをも含む有りとあらゆる欲望を、どこまでも〝解放〟して憚らなくなった。最早や何も畏れるものはないと信じきっている現代人は、自己抑制の歯止めをかなぐり捨て、どう繕おうとも「畢竟は欲望に外ならぬ」ものの、限りなき肥大化の中で悦に入っている。

三

確かに現代の各種「先端科学技術」は、大規模な産業主義経済のもとで多大の便宜便益をわれわれにもたらした。けれども「反面」で、人類をはじめとするあらゆる生命体の生存さえ脅かす危険な事態を惹き起してもいる。もともと天然にはなかった「核放射性物質」をはじめ、二酸化炭素や諸種の窒素化合物、ダイオキシン、ＰＣＢ、ＤＤＴなど燐系の合成化学物質などが複合的汚染原因となり、いまや地球規模で多種多様な「環境＝自然」破壊が深く静かに進行中であることは紛れもない事実である。それを私は「地球の破局」（geo-catastrophe）と名付けているが、これは人類の生存そのものを支えるべき外的環境に関わる「本末転倒」といってよい。ところが、それと併行してわれわれは、同時に「こころの破局」ないし「人間精神の破局」（psycho-catastrophe）とも呼ぶべき、——ある意味では——より深刻な事態に不知不識のまま追い込まれているのである。

一般に気軽く「ホモ・サピエンス」と呼ばれている人類が実は「自覚」を有ち、それゆえに絶えず自己を抑制的に超越する「賢慮の主体」として、数十万世代かけて築き上げてきた人間固有の「こころ」の世界についても、今やそれが根底から破壊されかねない危険に曝されている。今日、臓器移植や延命の各種技術、体外受精、代理妊娠、クローニングなど生命操作の諸技術、あるいは遺伝子治療や遺伝子組替えなどのバイオ・テクノロジー、さらには情報ハイウェイやマルティメディアをめぐるエレクトロニクス技術等々が、確かに驚異的な発達を遂げてはいる。けれども、これら「高度先端科学技術」は、もっぱら「効率」一辺倒で、——したがって元来いささかの倫理性も責任性も持ち合わさぬまま——ただただ経済最優先の目的合理性を貫徹すべく邁進中であり、その結果、ほんらい人格的主体たるべき人間が、逆に「操作」「処理」されるべき対象として、「物(件)化」され「手段化」される風潮が蕩々たる時代の流れとなっている。その影響は、われわれの情緒や意思、価値感覚や美意識や人生観にまで、すなわち、総じて人間の「こころ」の隅々にまで浸透し、ほんらい目的自体としての人間主体がますます空虚化しつつあるという意味で、「人間存在」が不知不識のうちに最も深い次元で脅かされつつあるのである。こうした事態は、ひっきょう人間としての内的環境に関わる「本末転倒」といわざるを得ず、かつてB・ラッセルが現代を評して「手段においては巧妙だが、目的においては愚昧」と断じた所以でもある。

二十世紀も最終段階を迎えて、いま人類が直面している最もシーリアスな問題は、右に述べた一方での「地球の破局」と、他方における「精神の破局」という「二重の危機」であろう。ここで「二重」とは、両者が別々の現象のように見えても決して無関係でないどころか、実は本質的に同一の根に立つ悲劇的危機だという意味である。では、同一の「根」をなすものとは何であろうか。

十九世紀いらい自然科学と、その応用たる各種科学技術は、産業主義経済と緊密に結びつきながら、人間の無際限な欲望を糧に長足の発達をとげてきた。その極点で、いうなれば「科学主義」(scientism)とでも名付くべき一種のイデオロギーが、今日知らず識らずのうちに、「人間が人間らしく在ること」「人間にふさわしく生きること」を、身体面でも精神面でも共に危うくさせている。換言すれば、現代では、生命体としての人間を支えるべき自然環境の劣悪化のみならず、社会・文化的な、そしてさらには精神的な存在としての人間にも、極めて重大な危険が迫りつつある。すなわち、政治も経済も、また労働や生産も、学問や芸術や宗教も、さらには消費や旅行、通信や交通、あるいは教育、育児、医療、はては娯楽や趣味や料理にしろ、要するに日常生活の有りとあらゆる局面で、人間が「人間ならでは」の十全な活動を営むことが、極めて困難になっているのである。

ところで、このような現代特有の一般的状況について、次にやや角度をかえて、「世界観の問題」として捉え直してみよう。現在、支配的な世界観として他を圧倒しているのは、いうまでもなく、自然科学の方法的原理たる「実証主義」(Positivism) である。この近・現代を主導してきた世界観は、簡単にいえば、超越的・形而上的な観念や思弁を一切排除し、あくまでも感性的知覚による所与の事実のみに即しつつ、それら相互の間に因果的法則性を見出そうとする立場であり、したがって、経験的・実証的な方法・手続きにより量的に計測可能な限りのものだけを「実在」(on) と見做し、それ以外のものは一切存在しない、すなわち「非在」(me on) であるとする考え方なのであって、これこそ正に自然科学が依拠している基本的パラダイムに外ならぬものである。そしてこれの通俗的・一般的次元における形態が、すなわち先ほど名付けた「科学主義」なのである。

もともと近代の自然科学は、実証主義の世界観に依拠するが故に、その方法的戦略としては、（1）すべてを「物」としての要因に還元し、（2）しかも専ら特定の視点からの「目的合理性」を局所照射的に追求し、（3）したがって他の部分や全体との関係などは一切度外視するのである。このような――少なくもカントの段階までは厳密に保持されていたはずの――自然科学的方法・手続きのもつ〝本来的な制約性〟の自覚が次第に薄れ、そこで得られた局所的であるが故に却って人目をひく結果だけが注目されるとき、人々は世のあらゆる事柄を「因果」の単純な系列へと還元することを以って、すなわち「科学的」であると思いこむ錯認に陥りやすい。その結果として、自然事ならぬ「人事」（human affairs）に関してすら、「正解」はただ一つしかないと信ずるような極めて単純・粗暴な「科学主義」が蔓ることとなったのである。

そこでは、人々はひたすら〝先へ先へ〟と急ぎ、スピードや効率を追い求め、目先の実利・効用・利便・便益にのみ関心を集中し、もっぱら「量」的拡大だけを目指して忙しなく動き廻る。しかも、そうした遣り方や生き方が無条件的に「是」とされ、無反省に鼓吹されているのが現代なのである。総じて具象的な「物」だけが実在なのであって、逆に、目に見えないものの「リアリティ」は一切認められない。したがって人間の「心や魂」、あるいはそれと関連する人間的な「意味や価値、事の是非・善悪・正邪」など、要するに人間存在における「質」に関わる問題はすべて〝不問〟に付せられている。いわんや人間の倫理的・実践的な「正しさ」

（Recht）を究極的に根拠づけるべき――カント的にはヌーメノン（Noumenon）と呼ばれる――何らかの意味での「超越」（Transzendenz）なぞは、一切〝斬り捨て〟られてしまう。そしてそれに伴い、「目的自体」としての「人間」をも、単なる「物」として操作し処理して憚からぬ「操作主義」の横行、その意味での「目的価値」と「手段価値」との〝混同〟、さらには事実問題としての「可能性」と、価値問題としての「妥当性」との〝弁識力の喪失〟、加えてまた、こうした人間存在における形而上的なるものの逸失とはウラハラに、その必然的帰結としての形而下的欲望の野放図な〝解放〟など、要するに現代の本質的徴標に外ならぬこれら諸現象が、今や圧倒的な勢いで世界中に瀰漫（びまん）しつつある。つまり、現代人は――ジンメル流にいえば――「より多くの生」（das Mehr-Leben）の次元のみを恍惚のうち（ekstatisch）に生きているばかりで、人間固有の「より以上の生」（das Mehr-als-Leben）のことなぞすっかり忘却してしまったといわざるを得ない。先に現代を、いかにも「子供じみた」時代と評した所以である。

# 四

そこで以下暫く、今日の「科学主義」が、――より根本的には「実証主義」の世界観が

――本来の「人間ならではの生」(human life) と、その成全 (fulfillment) を目指すべき「教育」とに関して、最も深い形而上的次元で重大な荒廃を惹き起している種々相を、具体的に見てみることにしよう。

無造作極りない殺人や傷害の数々、日常茶飯事と化したイジメ、余りにもあっけない自殺の頻発などの外にも、昨今じつに様々な形で人間の「いのち」に対する本質的な脅威が密かに進行しつつある。先に言及したように、生態系の破壊や環境汚染の問題としてのみならず、脳死判定＝臓器移植をはじめ、体外受精、遺伝子操作、クローニング技術、あるいは延命や自死の技術等々、要するに技術的には極度の発達をとげた現代「先端科学技術」のもとでは、人間の「いのち」は単なる生物学的・生理学的次元でしか捉えられず、もっぱら操作の対象とされているように思われる。一時ブームとなった「タマゴッチ」遊びにしても、上のごとき「いのち」の操作化の風潮の反映に外ならず、つまりは、人間の「いのち」さえ物としてしか見ない「実証主義」の一般的浸透を端的に物語る社会現象の一つだったといえよう。こうして、人間的「生」の全体は切り縮められ、その全体的意味や掛け替えのなさは、今や決して自明なこととはいえなくなっている。なぜ「大切なのか」を改めて問わざるを得ないほど、それほどに怪しく、危うく、疑わしい (fragwürdig) ものと化しているのが、現代における「人間の生」なのである。

現代に生きる我々にとっては、人間の「いのちの大切さ」をいくらお題目にして唱えたところでナンセンスであろう。それを真に識るには、現代人がいつの間にか見失ってしまった、活き活きしたトータルな人間の「いのち」の〝息吹〟を、一人々々が自分自身の内に実感し、主体的・実践的にその「実相」を確かめ直す以外に道はないであろう。ともあれ、人間として「まっとう」に、人間らしく「善く生きる力」をどう育成するかということは、人間形成としての「教育」すべての〝根基・根幹〟をなすべき課題であることは間違いない。基本的にこのような問題意識に則って、さらに考察を続けよう。

現代人の最も本質的な〝不幸〟は、万事につけて科学主義的にしか、ものを「考えられなく」なっている点ではあるまいか。現実の社会と学校教育の現場で、目下様々な形で続発する残虐非道な事件の背後にも、他でもない人間が「生きる」ということが、あるいは人間の「いのち」というものが、今やまことに〝お軽く、お粗末で薄っぺら〟なものに成り下ってしまったという、根本的な時代傾向が「伏在」しているであろう。そしてその結果、「人間が人間らしく在ること、品位ある人間に〝ふさわしく〟生きること」が、根底から脅かされつつあるのである。端的に言えば、「人間的生」そのものが、その「最も深い」形而上的次元で明らかに〝変質の危険〟に曝されているのである。

このような人間存在にとっての本質的危機は、先程も述べたとおり、世界観的に見れば明らかに「実証主義」の暴走によって齎されたものに外ならない。今、あえて「暴走」と言ったのは、次のような意味においてである。そもそも近代の自然科学的認識は、先にも注意しておいたように、自らの「実証的方法」がもつ〝本来的制約性〟を自覚し、その「現象界」(Phänomenon)の〝彼岸〟に、常に何らかの「超越」を前提していたはずであった。この科学〝本来の節度〟が忘れ去られ、いつの間にか形而上学的世界が全く無視された結果、科学は際限のない〝越権的〟な自己増殖をすすめたのであった。そこには前世紀いらいの産業資本主義との密接な結びつきが介在したが、そのことを通じて、自然科学の応用である先端科学技術が瞠目すべき発展をとげ、そこに現出した大規模な今日の消費社会は、人々の欲望を際限なく解放しつづけた。そして遂いに、アメリカのカトリック系教育哲学者、フィーニックスがいみじくも呼ぶ「欲望の民主主義」を招来せしめたのである。因みに、最近のテレビ放送で一驚するのは、いわゆるグルメと称する「旨い物」番組の過剰である。同様に目立つのは、セックスにまつわる映像やトークの氾濫である。日本人は、いったい何時から、こんなに食いしん坊になり、淫蕩になったのかと嘆かざるを得ない。それ程、昼でも夜でも、どのチャンネルでも放映し続けているのである。要するに、臆面もない個人的欲望そのものの露出と肥大化と促進としての「欲望の民主主義」が、今やますます募る一方なのである。こうした真只中にあって、教育は〝人間ならで〟はの「品位ある生」を、一体どのようにして擁護し助長すべきなのであろうか。

さてそこで、右のような状況との関連で、次に現在の教育における本質的な「本末転倒」について、幾つか具体的諸相を取り挙げて省みておきたい。今日では、いわゆる教育科学が発達し、科学的トレーニングも進歩したことにより、成長の極めて早い段階からでも、人間の特殊な能力を発達させることは必ずしも不可能でなくなってきた。そのため、なんと生後七カ月の乳児が対象だという英単語カードなるものさえ現に市販されている。このようなジョークにもならぬ事実はひとまず措くとしても、既に常識とさえ目されている三歳時からのピアノやバレーのレッスン、同様の数学の早期天才教育、あるいは野球をはじめサッカー、水泳、柔道などスポーツの領域でも、ごく幼い時期からの早期訓練が何らの疑いもなく日常茶飯に行われている。けれども、子供の将来の人間性全体の育ち、「人間ならではの成育の全体」から見る時、そうしてよいとはいえないことが多いのである。つまり、たとえ可能であったとしても、「人間形成上」は妥当性を欠くことが屡々あるのである。子供の人間的成育の全体に目配りできる「まっとう」な視野が是非とも必要であろう。

次に、もう一つ別の事例として、今日行われている「性教育」なるものの唾棄すべき実状について、ぜひ言及しておかねばならない。一九九二年の新学習指導要領の実施前後から、マスコミが「性教育元年」と称して大々的に報道し、それに乗じて過激な性教育推進論者たちが、小学校段階から人間の性器や性交について教える副読本の発行や、関連する講習会の開催などを全国的に展開した。マスコミは、それらの場面を性教育現場の最先端として持てはやしたのであるが、それらが「科学的」であると標榜され、大真面目で説かれているだけに一層始末におえないといわざるを得ない。

小学生向けの或る副読本では、男女の性器を微に入り細にわたって図解した上で、結合している図を掲げたり、ペアの抱き人形までも用意しているのである。真当な心情の持ち主なら、誰しも嫌悪を催すようなバカ写実＝エセ科学の実態を知るならば、大方の心ある親たちも、子供を学校には通わせたくなくなるであろう。しかも、同じ副読本の教師用指導書をみると、驚くなかれ、人間の「目合（まぐわい）」を動物の交尾と同じものとして教えるべきだと奨誘さえしているのである。

だが人間における性は、古来とりわけ日本では、いみじくも「眼交ひ」と表記し、美わしくも「まなかい」と読んだのであった。つまり、動物のそれとは根本的に異なる、「心をもつ」人間としての「まぐわい」の意味は、肉体的交わりであると同時に、それを通じての両性間の「魂の通い合い」であり、「深い全人格的交流」なのである。そして、この〝人間独自〟の性の「品位ある在り方」を教えることこそ、「本来の性教育」の〝核心〟でなければなるまい。ところが、即物性一辺倒の、現在「科学的」性教育と称して喧伝されているところのものは、人間としての両性間の香（かぐわ）しくも清々しい憧れ、優しい情感、繊細な心遣い、お互いの尊敬や信頼、誠実や貞節や親和等々といった、「人間ならではの善く生きる力」を培うどころか、これら「まっとう」な人間としての〝美質・美徳〟をことごとく毀し、人間としての品位や尊厳を徒らに〝貶め〟、子供たちの人間的「生」全体の育ちを著しく毀損するものだと断ぜざるをえない。しかも、そのことの本質的重大性に些かも気付いていない〝無恥さ加減〟が、なお一層に恐ろしい。その意味で、それは決して「教育」の名に値しないどころか、子供における〝トータルな人間性〟の「育ち」という観点からみるとき、まことに冒瀆的所業と呼ぶ外ない代物なのである。

ところが当事者たちは、先の早期教育の場合と同様、いわば〝視野狭窄〟に陥っており、その関心は限局化された特殊な問題領域にのみ注がれ、翻って全体を見渡す「まっとう」な視野になかなか立ちにくいのが現状なのであろう。先にも些か触れておいたように、そもそも「物」ならぬ〝人間〟に関わる事柄については、いかなる場合も「妥当性」と「可能性」とが、はっきり弁別されねばならない。「可能性」とは正に事実の領域に属することであり、これと「妥当性」という〝価値の領域〟に属することとは、あくまで別次元であるにも拘らず、上に見たごとく現実の教育の世界でも、両者はしばしば混同ないし摩り替えを起こしているのである。「教育」が、ただの物体ではない、しかも単なる生命体でもない、それぞれに掛けがえのない尊厳ある「個人」(Person)、すなわち人格的主体としての人間に直接関わる営みであればこそ、事は愈々重大と言わざるを得ない。その意味では、教育にも医学にも共通するところがあるように思われる。医学も教育も、その対象とするところは決して物件ではなく、あくまでも「人」であり、人間ならではの「いのち」の全体なのである。

## 五

さて、話がここまで進んできたので、次に敢えて「脳死判定―臓器移植」の問題についても、教育学者として一言しておきたい。というのも、この問題が人間の「生き死」に直接関わっているだけに、それを〝人間として〟どのように観じ、いかに受けとめるかという個人格としての「死生観」にズバリ関わっており、したがって医学や法律の領域のみならず、実は〝教育〟の世界にも深く関わる根本問題だからである。換言すれば、人間の生死(しょうじ)に関する観方・捉え方こそ、「教育」という――各人がそれぞれに掛けがえないライフサイクルを全うすべく、懸命に生きゆくのを心こめ力尽くして助成すべき――献身的営為にとって、形而上的次元が基本的な大前提だからである。

人間の「生死」という事柄は、決して単に生命体としての問題ではあり得ない。各人独自な知性も感情も意思も具え、しかも絶えず他の人々や物や事柄など、あらゆる〝他者〟との「関わり」の中で、何らか心をくばりながら生き、やがて死を迎える存在が人間なのである。その意味で、如何なる人もそれぞれの生涯を通じて、その人なりの〝固有な輝き〟を示し、その最後の「成就・成全」として〝意味ある死〟を迎え容れるのである。しかも、それもこれも総ては、人間を遥かに超越した「絶対的存在」(the Ever-Greater) から〝贈られ〟ている、文字通りに「有り難き」お与えなのであり、「賜もの」なのである。総じて、このような包括性と尊厳性をもつものが、すなわち人間の「生死」の問題だといって間違いなかろう。してみれば、人の死の「時点」を科学的に厳密に確定するとか、臓器移植の「技術的な可能性」とかいった問題には、明らかに現代の科学主義ないし実証主義に基づく〝局所照射的・非人間的〟な「視野狭窄」が、もっとも尖鋭な形で認められるといわざるを得ない。

そもそも〝効用や実利〟といった観点から、人間の臓器を「物」として役立てようとの浅薄粗暴な発想が生まれてさえいなければ、「脳死体からの移植」という問題自体が生じなかったはずである。その点で絶えず声高(こわだか)に主張されるのは、臓器移植を待っている患者が沢山いるではないかということである。しかし、待ち望むように〝仕向けた〟のは一体誰なのかという処まで、一歩踏みこんで考える必要があるのではなかろうか。移植技術が開発されていると宣伝されるからこそ、患者はそれを〝希望する〟のである。この本末を転倒して、人間の「生」を物件化する思想へと患者を——結果的にもせよ——〝誘い込ん〟でしまうのは、医学本来の「仁術」としての医道に悖(もと)るのではあるまいか。してみれば、「可愛想な患者が待っている」という一見人道主義的な言い方の背後に潜む、このような欺瞞的〝御都合主義〟の「本末転倒」

に対して、一教育学者としても黙っているわけに参らないのである。

この点に関連して、さらに高野山大学の学長、和田秀乗師の「素朴な疑問」と題する小文から一節を引いてみたい。この高僧は語る、「最近、臓器移植についても、レシピエントが、臓器の提供を受けるのが当然の権利といった顔で主張されると何か空恐ろしい」と。臓器移植が「可能」ですよとのPRが行われた結果、人々の間に従来はなかった〝新たな欲望〟が、すなわち他人様の臓器を頂戴してでも生き延びたいという欲望が〝掻き立てられ〟てしまったのである。人類が想像を絶するほど長い進化と〝歴史〟を通じて、単なる「生き物」としての欲望を自覚的・主体的に断ち切り、やっと「自己超越的」に築き上げてきた人間特有の「諦念・諦観」(Entsagung)の〝澄明な境地〟が、今や一挙に突き崩されようとしているのである。己れの生存のために、他者の死を待ち焦がれて眼を血走らせ、それが中々叶えられないからといって苦情をいい立て、欲求不満に喘ぎ、はては〝怨み〟まで懐きつつ、〝顔付きも心根も〟「歪み切って」しまうような事態が万が一にも起こるとすれば、それはやはり、尊厳ある人間として到底正視に耐えぬ「堕地獄」としかいいようがあるまい。パウロの「信仰によってのみ」(sola fide)を唯一の拠り所に、内なる我執・貪欲(cupiditas)を人間究極の「罪」として徹底的に〝超克せん〟と日夜苦吟・刻苦した、かのルターなどは一体何といって今日のこの「真昼の暗黒」を嘆き悲しむであろうか。こうした現代人における「内的荒廃」を、私は教育学者として衷心より憂い、心底から怖れるものである。けだし子供たちは、時代の精神的雰囲気の中で、その悲惨を否応もなく目のあたりにし、その「暗黒」を無意識に呼吸しながら育つ以外にないのだから。

右に紹介した高野山大学の和田学長は、いとも穏やかに「何か空恐ろしい」とだけ表現されていたが、ズバリいって臓器移植の本質は、――いかに言い繕おうとも――明らかにカニバリズム（cannibalism）である。他人の肉体の一部を己れの体内に摂取するという点で、本質的に「人肉を喰むことと、何ら選ぶところがない」ことを直視すべきであろう。事実、ある医事法社会学者は、人間のあらゆる文明を「欲望充足システム」と見做す立場から、この「人肉食」としての臓器移植に肯定的議論を展開している。つまり、現代の医科学も、欲望充足システムの一環として「実利に適い」さえすれば、それで宜いのではないか、というのである。この怖れ気も恥ずかし気も全くない、況んや心の痛みなぞ微塵も感じられない「科学主義」の姿勢・態度こそは、まこと「空恐ろしい」というほかない。また全く同様の「科学主義」的メンタリティは、国際生命倫理学会の重鎮とさえいわれるP・シンガーの著『生と死の倫理』にも一貫して認められるところである。臓器移植、クローニング、遺伝子操作等の最先端医療技術が、人間の身体やミクロな生命の領域にまで侵入している現実を無批判に容認した上で、著者はすべての倫理の基礎は今や書き換えられて然るべきだと主張する。例えば、回復不可能の意識なき患者や先天的無脳症の子供などは、生命の価値が低いと認めるべきであって、その身体は資源として活用されるのが当たり前であり、したがって、「人間の生命はすべて平等な価値をもつ」とする伝統的な生命観は、「完全な欺瞞である」とすら強弁している。このような人間存在の「全一性」に対する畏れを知らぬ視野狭窄こそ、まさしく戦慄すべき暴慢というべきであろう。

こうして現代人の欲望解放は、先端科学技術の全面的支援のもとで、ついに公然たるカニバリズムの容認、否、その積極的制度化という、あられもない〝餓鬼道〟にまで堕ちたのである。あたかも公認されたフランケンシュタイン博士の工房を髣髴とさせる現実の状況は、まさしく「実証主義」の世界観が齎した必然的帰結以外の何ものでもないことを、このさい冷静に確認すべきであろう。そして、この身の毛もよだつような現代風「人肉食」が、実は「生きもの」一般としては、本性上、至極当然の帰趨でもあることを、まずははっきり認識してかかるべきであろう。「生きもの」(living creature)とは、生きるべくして生まれついたものであって、他の「いのち」を摂取することによって生きる以外に、生きようのない存在なのである。したがって、人間といえども、一つ間違えば——いかに先端的な科学や技術で鎧おうとも——いとも易々と欲望むき出しの「生きもの」の境涯へとなり下がり得る存在だということを、たじろぐことなく凝視する必要がある。その上で、改めて問い直すべきであろう。ただの生きものならぬ〝人間存在〟として、「果たしてそうすることが、倫理的・実践的に正しいのか」、あるいはソクラテス風にいえば、ただ生きること(to zēn)ではなく、〝善く生きること(to eu zēn)

こそ何よりも大事〟な「人間」にとって、「それは果たして〝妥当〟なことなのか」と。

以上で、現代人の直面している本質的な危機の諸相について概観した。すなわち、人間生活のあらゆる局面で「実証主義」に深く〝汚染され〟た結果、今やわれわれは、一方で自らの生存さえも脅しかねない「地球の破局」と同時に、他方では、そもそも「人間が人間たる所以」の〝精神的高貴性〟をも崩壊させかねない「こころの破局」にも〝逢着〟してしまった。しかも、これら二つの危機は、先にも指摘したとおり、現代の科学技術的・経済的・物質的繁栄を招きよせた「当の世界観そのもの」に〝胚胎〟するがゆえに、人類は「二重の意味で」深刻極まりない「自己疎外」に追い込まれているのである。総じて、このような「人類の二重の悲劇」(double tragedy of humankind)の只中にあって、われわれは今、改めてニーチェやトルストイ以上の〝真剣さと純粋さ〟で、「人間とは本来いかに在るべきか」「人間は何のために生きるのか」を、本腰すえて問い直すべき秋(とき)ではあるまいか。

## 六

ところで、右のような「人間存在」そのものの命運を賭けた〝根本的問い〟を、より「実践的」に我々の立場で受けとめるとき、当然それは、人間形成としての「教育」の問題に帰着せざるを得まい。だが今日の教育は、その〝世界観的前提〟が「実証主義」によって著しく侵蝕され、あらゆる面で〝即物的〟な「操作主義や手続き論」が横行しているため、「まっとう」な人間の形成という「本旨から」すれば、明らかに「本末転倒」に陥っている。その種々相については、すでに幾つかの事例に即して論じておいた通りである。そこからは、「今、なぜ世界観への問いか」という本稿副題の意図するところも、なに程かは既に透し見ていただけたであろう。しかし、それは――写真でいえば――あくまで「ネガ」の形においてであった。そこで以下では、紙幅の許すかぎり、この点をめぐって「ポジ」の形で若干の考察を進めてみよう。

あらためて強調するまでもなく、一般に「世界観」こそは、教育にとって最も根本的な規定要因である。けだし世界観は、教育の〝動機〟をはじめ、その目指すべき〝人間像や目的や内容〟、さらには教育の〝態度や方法〟、そして場合によっては、〝組織や制度〟に至るまで「決定的に左右する」からである。にも拘らず、今世紀に入って第一次世界大戦以降は――ナチズムや皇国主義など極く特殊な例外を除けば――世界的にみて、そしてわけても敗戦後の日本では、「教育の世界観的前提」についての問いが全く〝等閑に付され〟てきたといって過言でない。それもこれも、実は「実証主義」の跋扈と決して無縁ではないのであるが、夙に七十五年も以前にヤスパースは、早くも「教育の実体崩壊」（Auflösung der substantiellen Erziehung）を警告し、概ね次のような趣旨の発言をしていたのである。

こんにち教育について、ほとんど凡ゆる問題が喧しいまでに論議され、眩いばかりの文献や各方面にわたる実践的努力が積み重ねられているにも拘らず、これ程までに〝教育が昏迷を深め〟ている時代は、いまだかつてなかった。というのも、「実体」が疑わしくなればなるほど、教育は「公式化」するからである。「依拠すべき世界観」が見失われ、実体に確信がもてず、〝信念が揺らいで〟くると、「不安に陥った」人々は意識的に教育について〝議論〟するようになり、〝技術的には精緻〟になる。しかし、あらゆる議論や努力が「自己自身の意志の自覚化」として行われない限り、つまり〝主体的・実存的な探究と努力〟がない限り、それらは「大した意味も迫力も有ち得ない」のである。

この四分の三世紀前のヤスパースの評言は、今日いささかも色褪せることなく、「正に現代教育批判」として〝正鵠を射ている〟といわざるを得ない。彼が訴えた教育の実体崩壊の危機は、決して一哲学者の杞憂には終わらず、今日の日本でも世界各地でも、「痛恨の現実」として様々に露呈してきている。このような悲劇的状況下にあって、教育（学）者にとって避けて通ることの許されぬ本質的かつ喫緊の課題とは、いったい何であろうか。それは、「教育」という——子供や若者たち一人々々が、それぞれに独自な人生を「まっとう」に生き抜いてゆくのを全身全霊で助成する——最も人間的な営為を、〝最も奥深いところ〟で規定する「世界観」について、改めて問いを発することでなければなるまい。しかも、それは単なる客観的な問いではなく、あくまでも教育（学）者たる「自己」が、〝拠って立つ所以の信念〟として、如何なる世界観を「自らに〝選びとる〟か」という、勝れて個人的・実存的であると同時に、また過去・現在・未来にわたる「全人類の命運」をも賭けた、勝義の「実践的」な問いを問うことでなければならない。

ところで二年前、私は本誌第七三号で、今後の教育（学）が執るべき一つの、しかし重要な一つの方向について次のように示唆しておいた。「自然の因果性を遥かに突破した〈人間性〉の真の〝深み〟に照準し、常に〈人間ならではの生〉の〝高い質〟に培い、これを擁護し保証すべき方向を「選びとる」こと――これこそ、今後の教育（学）、ひいては人類とその文明・文化の行方をも決定づけるクルーシャルな課題であり、そうした志向性を明確にもった教育（学）のことを、私は〈深みへの教育（学）〉（Education for the Depth of Humanity）と名付けたい」と。しかし、そのような志向性をもつためにも、まずもって両親や教師をはじめ、あらゆる教育関係者の「意識革命」が不可欠であろう。換言すれば、従来の「実証主義」的世界観からの自覚的脱却と、それに代わるべき「まっとう」な世界観の主体的獲得が是非とも必要となるであろう。

ただし、念のため断っておきたいのは、ここにいう「世界観」とは、決して概念的に精緻化された統一的な世界像や、その客観的意義や価値についての抽象的見解なぞを指すのではない点である。寧ろそれは、〝ものの感じ方・捉え方・発想の仕方〟をも含む、自らが生きている世界についての一般的な観方や考え方や判断のことであり、さらには、それに基づく行動や生き方など、つまりは己れの人生についての観念や覚悟とも、必然的かつ不可分に結びつく〝広義の世界観〟をいうのである。それゆえ、それは決して出来合いの抽象的世界観を、ただ「お仕着せ」のように、あるいは借り着のように身にまとうことでは到底済まされない。われわれ教育する側も責任ある世代として、一人々々が具体的な日常生活の中で、「人間として〝真当に〟生きるとは如何なることか」を絶えず自問自答しつつ、それを基準に自主的に価値判断を下し、自己の行為・行動を確信もって〝律する〟と共に、揺るぎない決意のもとで自らの「生き様」を主体的に選びとること――これが、すなわち「まっとう」な世界観を有つということなのである。

少し慮れば至極当たり前のことながら、子供や若者たちが「まっとう」に育ちゆくためには、身近な処に自己の存在の意味や自己の人生の価値を「しか」と信じている「大人」、つまり、右に見たごとき「まっとう」な世界観・人生観の持ち主が、常づね親しい存在として傍に居てくれることが絶対の要件である。世界観や人生観、あるいは価値観などは、たとえ百萬言を費やしたところで、決して言葉では伝えることが出来ないことを銘記すべきである。事の是非・善悪・正邪・美醜・聖俗など、要するに「人間ならでは」の道徳的・倫理的・美的・宗教的な価値や意味に関する教育は、予めそれを体得・体現している「大人」自身が、日常生活で被教育者と同じ場と時に同一の体験を「分ち合う」中で、自ずと授受される活き活きした「心の姿勢、ないし心組み」を、被教育者に直に血の通った実感として体得させる以外に道はないのである。けだし道徳的陶治に関して、ペスタロッチーが徹底して「口舌」（Maulbrauchen）を〝斥けた〟所以でもあろう。

さて、ここに至れば、先に触れた「人間ならではの高い品性に培う」教育、つまり「深みへの教育」とは、一体どのような類のものであるかについても、朧げながら察知していただけるであろう。それは、「まっとう」な人間として柾目の通った感性と思索力を有ち、従ってまた、高雅な人格としての品位ある行動や生き方が、さりげなく自然に出来る「大人」が、——要するに自己の一貫した世界観を保持している——成熟した人物が、身近な子供や若者たちに対して、ごく日常的な生活における一駒々々に宿る「人間的必然性」（menschliche Notwendigkeit）を十分に諒知・得心させつつ、自らの「まっとう」な〝心組み〟とその具体的行動とを通じ呈示することと、人間ならではの「心」の世界、「魂」の世界への眼を自ずと開かせる教育なのである。一言でいえば、人間存在に独特の形而上的価値を直接的に体験させることによって、彼らの内面に「畏敬すべき生」の次元を拓き、「善く生きる力」としての「徳性」（arete）を培い養う教育だと見てよいだろう。では、それは具体的・実践的には如何なる「方法」ないし「方途」による教育なのであろうか。

# 七

昨今、文科省あたりから「生きる力の育成」とか、「心の教育」とか頻りに唱えられるようになったが、その具体的な意味や内容については一向に定かでない。そもそも「善く生きること」を教えることなぞ、果たして可能かどうかという問いは、けだしソクラテスと共に古くて、また常に新しい問題であろう。客体的知識の伝達・伝授という意味で「教える」ことは、この場合むろん不可能である。けれども、それを「気づかせ」たり、「感得させ」たり、「覚知させ」たりすることは、じっさいに可能である。では、そのような「覚醒」（Erwecken）ないし「覚知」（Innewerden）の方法としては、ヤスパースが強調したように、果たして「訴えかけ」（Apellieren）しかないのであろうか。

覚醒は確かに、原理的には「非連続」的に起こるものであり、漸次的な成長ないし発達に伴って、自然的・連続的に生起するような類のものではない。したがって意図的・計画的教育には必ずしも馴染まないといえよう。しかし、長期間に亙る「事柄全体」の経過ないし、その〝形成的局〟面に着目するとき、やや違った「展望」が開けてくるのを知るのである。すなわち、覚醒が最終的に起こり得るための〝前提条件〟、ないしは必要条件に関してだけは、予め何程かそれを「準備」することが出来るのである。この点は、特に教育学者として看過すべきではあるまい。すなわち、個々の子供や若者たちにおける、種々の「人間ならではの事柄」(human affairs) をめぐる素朴な諸体験と、そのさいの感動の積み重ねが、まずは第一の必要条件であろう。そして第二には、さらにそれを客観的に根拠づけたり、意味づけたりする知識や知見を整え与えることも不可欠であろう。これらは、突如として起こる覚醒の十分条件ではないけれども、火花が飛べば確実に爆発が生ずるガソリンの「飽和蒸気圧」の如きものとして、意図的に〝醸成〟し得るものに属する。この点で、上質の童話や寓話をはじめとする各種の読みものや視聴覚教材なども、大いに活用が期待され得るであろう。

してみれば、日常の生活や教育実践の場面で、「善く生きる」ことの大切さに気づかせ、感得させるには、言葉による「訴えかけ」などと比べ、より閑かでより感動的な導き方があるのではあるまいか。お互いに眼を交わし体温をも感じとれる〝近間〟で、親や教師など、つねづね子供に親しく接しつつ自然のうちに教育作用を及ぼしている「一廉(ひとかど)の人物」が、身を以って具体的に示す「示範」(Beispiel) ないし「お手本」(Vorbild) こそは、はるかに自然な形で、より頻繁に日常的事象に即しつつ行われ得る、——したがって実践場面ではずっと有効に活用できる方法というべきであろう。日頃からの、教育者と被教育者との「人格的交流」を通じて〝蓄積〟されて来た総てが背景となり、教える側が〝行為的〟に呈示する模範が機縁となり、教えられる側では、諸々の道徳的・倫理的・形而上的諸価値を身に染みて経験することで、善く生きることへの「心組み」や「心術」(Gesinnung)が一挙に転換する可能性がある。かくて翻然として、自他の「生きてある意味」を実感し、共々に「生かされてある価値や意味」に目覚める〝機会〟ともなり得るであろう。このような「示範」は、それゆえ私の所謂「深みへの教育」ないし「質への教育」における最も本質的方法として、今後一層重要視されて然るべきではなかろうか。

ただし、このような覚醒を喚起する「示範」が、教授上の個別的な技法や手順や技術など、いわゆる狭義の「方法」とは全く、〝別次元〟のものであることは断るまでもない。ここにいう「示範」とは、〝まっとう〟な世界観・人生観の抱懐者からの謂わば善意あふれる「贈りもの」であり、人間特有の高い質の「生」、換言すれば、尊厳ある人間としての「生き方」そのものの「贈遺」に外ならぬものであって、従ってそれは、結果的に次世代の内面に「人間として善く生きる」心意を自ずと惹き起さずには措かぬ、活き活きした人格的行為なのである。そうである以上、それは決して、単なる「ハウ・ツー」的マニュアルやプログラム化が通用する次元での「方法」(meta-holus：道筋・手順に従う)ではあり得ない。示範とは本来、きわめてパーソナルな実存的・主体的レベルでの贈遺行為なのであって、形而上的な価値や意味をめぐり、〝人格と人格との間に〟生ずる勝義の「出会い」(persönliche Begegnung)であり、それは「心の交わり」「魂の響き合い」と呼んでも差しつかえあるまい。つまり、教育者が被教育者に対して、「善意」を以って行為的に〝模範〟を示すことで、目には見えぬ内面的価値を直接的に〝感得〟させ、その「人間ならでは」の意味を実感・納得させ、会得させることなのである。そこには当然、「範」を提示する者の丸ごとの人格が反映されざるを得ない。そのさいの眼差し、息遣い、声音、表情、言葉、挙措態度等々の一切を通じて、教育者自身の人生観・世界観のすべてが、掛け値なしの姿で表出・放射されるのである。示範とは、ひっきょう「教育する者」の本質的生き方（Lebensführung）の全面的呈示たらざるを得ず、したがって、彼または彼女の抱懐する世界観・人生観が、換言すれば、「人間ならではの高い質の〈いのち〉」に対する本人自身の根本的な「心組み」が、直接に被教育者の内面に転移・転得されることに外ならない。

## 八

人間の「いのち」の全体は、普遍的な構造的枠組みとして見るならば、一方において、己れの生存のために他の生命体を食さざるを得ない浅ましさ、悍（おぞまし）さを内包しているにも拘らず、その身体的・生理的次元の「生命」（自然概念）の外に、他方では社会・文化的次元における「生活」（社会概念）や、さらには「一生」（実存概念）という、それぞれ別の、より高次な次元の「生」をも同時的に、いわば同心円的構図で生きている全体なのである。この厳然たる事実、すなわち、この人間ならではの高品位の生（high quality of human life）への驚異・讃嘆・憧憬、さらには畏敬・崇敬と感謝と情熱などを培い、翻ってまた、それらが自己を〝慎み〟、己れを〝律す〟る心にもやがて連なりゆくことこそ、要するに「善く生きる力」ないし「まっとうに生きる力」を育成することの究極の意味であろう。そして、このような所謂「深みへの教育」を可能ならしめる日常的方法が即ち「示範」ないし「お手本」なのであり、しかもこれこそは、「人間存在」への——つまり、真に人間らしく生きることへの——憧れと畏れと、また愛と哀しみと勇気とを兼ね具えた「まっとうな人物」においてしか、実は成り立ち得ない勝れて〝全人的〟な実践なのである。その意味で、オーストリアの作家A・シュティフターによる次の洞察は、人間学的にも教育学的にも「確かな真実」といってよかろう。「ひとを教えるには、自らがまっとうな人物でなければならない。その意味で〝一廉(ひとかど)〟の人物（Person von Konsequenz）であれば、教育は自ずと旨くゆく」と。正に「示範による覚醒」とは、このように「一廉の人物」による全人格的な「いのち」の〝譲り渡し〟、ないし飛び火とでも称すべきものであって、教える者と教えられる者との間で閑かに行じられゆく、きわめて人格的・実存的なプラクシス（praxis）として、いわば「いのちの響き合い」に外ならぬものなのである。それは、確かにミステリーとも呼び得る非合理的な出来事かもしれない。けれども、〝ミステリアス〟であるのが、実は因果律の世界を超出した「人間存在」の根本特徴といってよく、それこそが、「人間ならではのいのち」(human life) の〝リアリティ〟なのである。そもそも人間が、幾十万世代もの時を費して「自覚的存在」へと進化してきた以上、われわれは、己れが生きている「いのち」の在り様そのものについても、絶えず〝反省的に問題化〟して捉えざるを得ないのは当然。しかもそれを、常に世代間の「教育的責任」の問題として受けとめざるを得ない「運命」を背負っている。それをしも、敢えて人類の「特権」と言い換えることも出来ようが、いずれにせよそれは、「教育する種」(educating species) ないし「教育人」(homo educans) と特徴づけられ、同時にまた「教育されねばならぬ生きもの」(animal educandum) とも称される「ホモ・サピエンス・サピエンス」(賢慮の主体) としての、哀しいばかりの、そして洵(まこと)に〝素晴らしい〟宿命であることに変わりはない。——この一事とともに、本稿前半部で指摘したごとき、現代人における形而上的世界の忘失の危機に思いを致すとき、改めて「人間としてまっとうに生きる力」をどう育成するかという、「深みへの教育」の根本課題の重さ、大きさ、深さ、そして同時に、その苦しさ、辛さ、切なさについても、想い半ばに過ぐるものありといわざるを得ない。

［了］

（初出『教育哲学研究』第77号、平成十（一九九八）年五月十日）

# 四　いま、なぜ教養教育か

## ――京都大学「高度一般教育」の理念と構想

今日は、本センターをお預かりしております立場から「いま、なぜ教養教育か」というテーマでお話し致すことにしておりますが、それに入ります前に、昨年の六月、国立大学としては初めて京都大学で発足いたしました、この"faculty development"に関わる研究センターについて、概略をご紹介申し上げますのも私の役割の一部かと思いますので、まずそれから始めさせていただきます。

正式名称は、舌をかみそうなくらい長く、「京都大学高等教育教授システム開発センター」と申します。そして、昨年の十月一日には第一部門の教授として、今日司会を担当する心理学者の、梶田叡一教授が大阪大学から来任いたしました。それから、今年の十月一日には新設の第二部門の教授として、愛媛大学から田中毎実氏が着任いたしました。そういうことで、今やいよいよ本格的な活動を展開すべく鋭意努力しつつあるところでございます。本センターは、諸他の類似機関とは少し違い、より根本的に「大学教育」そのものの在り方を綜合的に研究して、言うなれば、大学教育を「内側から」実質的に改革していく、その実践的な拠点として構想されたものでございます。その背景と経緯を簡単にお話申したいと思います。

平成三年に大学設置基準の改正で大綱化がうたわれ、また京都大学でもちょうど教養部の改組織ということが現実化いたしました。その段階で京都大学の教育改革の基本的な方向付けを検討するために、この年、つまり平成三年の七月に全学委員会として、「教育課程等特別委員会」というものが発足いたしました。ここでの一年半にわたる議論の中から、全学的な取り組みとして次のような三つのポイントが焦点化されてまいりました。

第一は全学カリキュラムの改革。わけても、その中核たるべき京都大学独自の「高度一般教育」というものを新たに創り出すことでございます。ここに申します高度一般教育とは、それぞれの学問分野のエキスパートが、その専門性の高さ、内容の深さを十分に保持しつつも、他方で、専門性の狭い枠を越え出て、究極的には、自分をも含めて「人間とは何ものなのか」「人間ならではの、より人間的な生き方とは何か」といった根本的な問題を問いかけ、学生諸君にそれを各自それぞれ批判的に考えてもらうことを通じて、確固たる世界観や人生観を一人ひとりが自ら紡ぎ築き上げてゆくのを助成する「教養教育」のことでございます。ところで第二のポイントは、特色ある研究活動や教育活動を賦活するためのいわゆる自己点検評価を実施して、その報告書を作成することでした。それから第三番目のポイントが、大学教育の全般にわたります、広い意味での教授法の研究開発（教育内容の精選も含む）に取り組むべきこと。以上の三点は、それぞれ相互に関連しあうものであることは申すまでもございません。

しかし第三番目の件につきましては、突っ込んだ議論を展開する余裕もないままに、先ほど申しました全学委員会は終結してしまいました。そこでこの残されたテーマについて、教育学部の有志グループが、学内の教育研究特別経費によって、その後もずっと研究を継続しました。そしてその活動実績を核にして、本センターが生まれた次第でございます。

さて、大学のいわゆる「大衆化」によって学生の質が落ちたというよりは、学生の志向も関心も人生態度も多様化しておりますことは、先刻ご承知のとおりです。他方で学問の専門化、先端化が進むにつれて、学生達がなかなかこれについていけないような状況も現出しております。こうした現状に対して、従来のような画一的・均一的な教育では対応しきれない。教授内容や方法も多様化させる必要があるということが、次第に認識され始めたわけであります。

先ほど触れました教育学部の研究グループが、一昨年の夏に全学的規模で、教授スタッフを対象に行いました意識調査によりますと、授業を毎年繰り返すことによって教授法は自然に身につけられるものだという回答が八〇％と、確かに多いわけでございますが、しかし他方で、自分自身の教授法に関してトレーニングを受ける必要があるという肯定回答も六三％に及んでおります。また新たに大学の教官になろうとする者にとって、教授法の修得は有益であるとの回答が六八％ありました。つまりニーズは予想以上に高かったのでございます。さらにまた、教官についての評価として「教育面の実績をも考慮すべきだと思いますか」という質問には、肯定回答が六八％と多かったのであります。

すでに本センターでは、授業分析のために優れた教授者の実地授業をテレビカメラでとって、そして同時にそれを聴講しております学生達の眼の輝きをもビデオで追いつつ、本当に創造的な授業、クリエイティブな授業とは何かということを、言うなれば臨床教育学的に究明しようとする基礎的な研究をスタートさせております。また全国からエキスパートに加わっていただきまして、科学研究費による大学教授法の総合的研究も目下推進しつつあります。いずれにいたしましても、要するに faculty development ないし staff development の問題を、大学教育の目的や本質に即して研究することを課題としております。従いまして、大学教育とは何か、大学教育の目的は何か、大学はいかなる学生を育てるのか、といった根本問題に立ち返った本格的研究が必要でございます。

私がここで「大学」と申しますのは伝統的な総合大学、university の意味でございまして、その他の各種高等教育機関を指してはおりません。そのことを予めお断りしたうえで、大学教育の任務、使命とは、一言で申しますれば、様々な分野におけるリーダーの養成でございましょう。すなわち二十一世紀に向けての人類社会全体のための真正のリーダーの育成、これこそ大学教育の主要目標であろうかと思います。そうした将来の、言うなれば「人類益」――国益などは遥かに越えた人類益――のためのリーダーは、さしあたり次の三つの資格要件を充たさなければならないと思います。

まず第一はcreative thinking。単に「ハウ・ツー」的な個別の問題解決能力を持つだけでなくて、まず人類史的課題を自ら発見して、それを粘り強く独創的・創造的に追究していくことのできる柔軟な知性。第二番目はcritical thinking。自分自身の生き方や学問や仕事の全人類に対する寄与について、その可能と限界とを冷静に見極める――そのような優れた意味での〝批判的〟な思索力。そして第三番目は、言うなればinternational intellectとでも申しましょうか。単に言語的なバリアを乗り越えるだけではなくて、その背後にある民族的・文化的な差異をどう主体的に乗り越えて共働・協調していくことができるかといった、そういう意味での国際的に柔軟かつ強靭な知性。――さし当たりこれら三つを統合化させたgeneral intellectとでも呼ぶような、綜合的な知性を備えたリーダーの育成が大学の使命であろうかと思います。しかもそれは、単なるテクノクラートとしての有能性だけではなくて、過去・現在・未来にわたる、全人類に対する理想と責任と勇気と実践力とを具備した人材。つまり一言では、〝人類全体への使命を自覚〃したリーダーでなければいけないと思います。こうした都合四つの基本資質を備えた人材の養成こそ、大学教育の大きな目的でありましょう。

そうしてみますと、巷間よく話題にされますような、落語家風のジョークの入れ方とか、単純なハウツー的マニュアルだとか、画一的シラバス作りとかいったこととは根本的に別だということになってまいります。そうした皮相なテクニックの次元を越えて、雑多な情報知（informations）を、どのように内在化して生きた人間認識（knowledge）に〝高め〃るか。そしてそれを、さらに活きて働くcreativeな「知恵ないし賢慮」（wisdom）にまでどう発展させるのか。そして究極的には、それを「人類益」とどのように結びつけ得るのか。――そういう広い意味での「大学教授法」、つまり高度の教養教育を本腰で研究してまいりたいと願っております。

そこで、先ほどらい言及しております科学研究費による大学教授法一般に関する共同研究プロジェクト、これを我々は〔プロジェクトⅠ〕と呼んでおりますが、この外にも本センターが当面課題として取り組むべき各種具体的プロジェクトといたしまして、目下それぞれに計画や準備を重ねているものが四つございます。ごく簡単に箇条的に申し上げますと、まず第一は、「高度一般教育」――大学院博士課程の取得単位としても通用できる、高度の内容を含む――のシステム化を実現するための研究と支援。これを〔プロジェクトⅡ〕と呼んでおります。続いて二番目に、マルチメディア対応教育への支援。これは〔プロジェクトⅢ〕と呼んでおります。第三番目は、教育評価の妥当な方法の開発。これは〔プロジェクトⅣ〕。そして最後に、初任者を中心とした「実地授業の相互研修ゼミナール」の実施。年に二回ほどを計画しておりますが、これを〔プロジェクトⅤ〕と呼んでおります。

さて、以上ごくごく概略ながら、京都大学の高等教育教授システム開発センターについてお話申したことを通じて、その背後にある基本的な考え方の全貌についても、ひとまずは把んでいただけたかと存じます。一言で申しますれば、それは明らかに「教養教育」の重視・充実ということでございます。大学設置基準の改正によって一般教育という「課程」の〝名称〟は確かになくなったにしましても、大学における「教養教育の実質」は、必須のものとして是非とも堅持されなければなりませんし、教養教育は専門教育の肥大化によって決して〝圧縮〟されてはならないというのが、京都大学としての基本認識なのでございます。

そこで、本日の私の主題の方に入ってまいりたいと思います。私は本日の話のテーマを「今、なぜ教養教育か」といたしましたが、その設定理由の第一は、外ならぬ「現代」というこの時代の一般的状況、つまり我々をめぐる大状況が、人類史的・文明論的に見て極めて重大な問題性を〝はらんで〟いるからであります。

現代はまさに、科学技術一辺倒の時代と言ってよいでしょう。そこでは、何事によらず「正解」はたった一つしかないと思い込むような、あるいはそう決めつけてしまうような思考態度が蔓延(まんえん)しております。これは、クーンのいわゆる「一定の思考パラダイム」の上にのみ成立するところの自然科学の方法的戦略にのっとった、まことに単純・粗略な考え方という外ありません。その意味で、現代はまことに〝子供じみた〟世界だと言っても過言ではないと思います。すなわち、次々に目新しいものを欲しがり、外のことには目もくれず、一旦手に入れたものは直ちに取り散らかし、その「後始末」については見向きもしない。もっぱら「スピードや効率」、「実利や実用性」、あるいは「便宜や便益」といったものが関心の中心を占め、量的拡大ということだけが目指され、そしてそれが〝無条件的〟に「是」とされてきております。すべてが「物」としての要因に還元され、量的に計測可能なもの以外には目もくれず、したがって、「人間の心や魂」、あるいはそれと関連するところの人間的な「意味や価値」、事の「是非や善悪や正邪」など、要するに人間存在における「質」に関わる問題については、いっさい不問に付してしまう。このような風潮が、今や圧倒的な勢いで世界中に瀰漫(びまん)しつつあると思います。

現代の各種の先端科学技術は、確かに一方で多大の便宜・便益を我々にもたらしました。しかしその結果として、反面で、自分自身の生命体しての〝生存〟さえ脅かすような状況が、今や続々と出てきております。つまり様々な種類の「地球汚染、環境破壊」の問題。これは言うならば geo-catastrophe「地球の破局」と呼んでよいでありましょう。他方それと並行しまして、我々はさらに、言うなれば psycho-catastrophe「人間精神の破局」ないし「内面の破局」というような事態にも追い込まれております。人類が数十万年もかけて「脱有機体化」Entorganisierung を進めてきた結果、やっと築き上げた非常に重要な「人間ならではの精神面、内面の世界」についても、それを〝根底から破壊〟させてしまうような無類の危険に、今我々が曝されているのも紛れなき事実というべきでしょう。

こうした人間存在にとって「二重の危機」に、今人類は直面しているのであります。このような現代の一般的状況が、私には気になって仕方がないのであります。すなわち、産業主義と密接に結びついた科学技術主義とでも呼ぶべき滔々たる流れが、今や日常生活の隅々にまで浸透し、我々の知識や技能のみならず、我々の情緒や意思、価値意識や美意識や人生観にまでも浸透し、総じて、人間が「人間らしく在ること、人間らしく生きること」――これを知らず識らずのうちに脅かしつつあります。

つまり、「世界観」的に申せば、自然科学の方法的原理である「実証主義」(positivism) が圧倒的に支配している現代では、「人間ならではの生」(human life) というものを〝全うする〟ことが極めて難しくなりつつあります。と言いますのも、こと人間に関わることがら、すなわち〝human affairs〟の世界は、もともと一つの「思考パラダイム」のうえに成り立つ自然科学の如き、一義的な世界とは全く違いまして、極めて〝多義的〟だからであります。より正確に申せば、〝重層的であり多次元的〟であるのが、すなわちhuman affairsの根本特徴だからです。しかも、通常の生活に密着した日常性を〝越え出た〟「別次元の世界」、これこそが、実は「人間ならでは」の、「より人間的な」生の中核をなす世界なのであります。人類が非常に長期に亙る年月を費やして、自ら営々と築き上げ創り出してまいりました人間に固有な世界、すなわち社会・文化的な生の世界をはじめ、さらに人格的・実存的な次元の世界、そしてさらには超越的な世界といった如きものが、いまや圧倒的な科学技術主義のもとで、不知不識のうちに見失われ忘れ去られようとしているのであります。そして、こうした事態についての自覚的な「認識」が、大学をはじめ社会の至る所で全く等閑に付されている。まさにこの点にこそ、今日、人間が真に「人間らしく在ること」、「より人間らしく生きる」ことがたいへん困難になっている根本原因があるのであります。換言すれば、人間ならではの〝独自のライフの在り方〟、すなわちhuman lifeそのものが成立しうる根本的前提条件が、今や崩壊の危機に瀕しているのであります。これをどのようにして〝本気で護ろう〟とするのか——この問題が現代の伸るか反るかのkey-problemではないかと思います。そうした時代認識があればこそ、大学における「教養教育」というものを正面のテーマとして掲げているわけでございます。自己自身をも含めて、「人間とは何ものなのか」ということを真摯に問い糺し、量や効率とは次元の全く違う別次元の価値として、〝質の次元〟における人間ならではの「価値の世界」に眼を拓かせ、あくまでも「より人間的なるもの」(humaniora：教養)を求めてやまない「高邁な精神的姿勢ないし心的態度」を啓培する高度な教育こそが、すなわち、私どもの考える勝義の「教養教育」だからであります。

次に、こういう高度の教養の問題を取りあげる第二番目の理由について申し上げます。右に申し述べました「科学技術主義」といったものの滔々たる流れを反映しまして、現代の日本の大学では「教養」の理念についての検討が、実はここ半世紀近くにわたってほぼ〝皆無〟に等しい空白状態が続いているからです。「一般教育は大切だ」「一般教養を改革せよ」というような〝かけ声〟は確かに繰り返し唱えられてきました。にもかかわらず、しかしその実は、時々の経済的・社会的・政治的要請に応えるスローガンとして利用されたにすぎません。わずかに一九四七年(昭和二十二年)から三・四年の間だけは、例えば、上原専録とか南原繁といったごく少数の識者達によって、大学における教養教育の「重要性」が強調されました。その〝熱っぽさ〟につきましては、私ども昭和一桁世代はちょうど旧制中学から新制高等学校、さらには新制大学へと進学した当時でしたから、直接に肌身で実感していることは確かでございます。しかしそれが忽ちにして、恐るべき猛スピードで変化してしまったのであります。

その変化・変質の経緯につきましては、本日あとで問題提起をしてくださいます寺崎先生(東京大学)のご専門の研究に詳しいところでございますが、ここでは時間の関係上、特に重大な節目を二つだけ、簡単に指摘しておくにとどめたいと思います。当時大学基準協会が策定しておりました「大学基準」というものが、昭和二十五年（一九五〇年）に改訂されまして、「一般教育」は、人文・社会・自然の三系列の学問分野から、それぞれ十二単位ずつ均等に履修するという、まこと形式主義的な方式が制度化されました。その結果、一般教育とは「三分野均等履修」を謂うかの如き、誤った観念が定着しまして、現在でも例えば「副専攻制」の導入といった形で、そうした誤解の残滓は依然として消えておりません。ついで昭和三十一年の文部省令による大学設置基準の制定によりまして、基礎教育科目なるものが昭和三十三年から導入されました。すなわち、一般教育科目のうち八単位までは、基礎教育科目の単位で代替することができるというものでした。これによって、本来カテゴリーが全く〝別のはず〟の専門のための基礎教育というものが、あたかも一般教育の一環であるかの如き錯覚が生じまして、「一般教育としての基礎教育」といったような、原理的には明らかに自己撞着も甚しい標語さえ平気で使われるようになりました。つまり、その時点で par excellence な意味での「一般教育」の理念は、完全に消滅してしまったのであります。それ以来、「教養」についての理念的検討は一切行われないままに、もっぱら組織論やカリキュラム論や制度論としてだけ、形式的に、しかもその都度の時代的要請に応える形で、一般教育の内実が、本来理念的に目指されたものとは似ても似つかぬ、全く別のものへと変えられてきてしまったのであります。そしてその結果として、「一般教育」「一般教養」とは、ものの役にも立たない単なる博識、高尚だが無駄な趣味、あるいは遊び心、ディレッタンティズムの別名であるかの如き、たいそう誤った観念が流布いたしました。他方また大学の内部では、一般教養とは学問内容として専門に劣るものであるといった通念さえ、いまだに残存いたしております。つい先頃まで存在しておりました教養課程とは、学問諸分野の初歩的な段階を広く浅くまんべんなく学ぶ課程であるといった誤解も、残念ながら最後まで払拭できずにいたのであります。

総じて人間の営みというものは、絶えざる努力の積み重ねを欠けば直ちに頽落するものでありますが、とりわけ理念に関わるような根本問題は、心して絶えず新たな薪を一本々々丁寧に継ぎ足していくような、そういうクリエイティブな努力を続けなければ、たちまちにして「生きた理念」としての〝命〟、「生きた理念」としての〝灯〟は消え失せてしまうのであります。もう一度、戦後のわずかな間だけではありましたが、「教養」というものが〝活き活きした文化理想〟であったその「原点」に立ち返って、理念的検討を真摯に試みるべきであろうと思います。

ところで、「教養」を主題として取り上げる第三番目の理由について簡単に説明申し上げます。一九九一年の例の大学設置基準の大綱化によりまして、各大学の個性化、特殊化、差異化ということが進むのは結構ですが、基準改正により「一般教育」という名称自体が消えたことで、教養教育重視の姿勢が到る所でますます〝稀薄〟になりつつあることは、今日までの大学改革で〝最も悲しむ〟べき点であろうかと思います。加えて、従来は兎にも角にも一般教養に振り当てられておりました、人的並びに物的なリソースが今や専門教育の拡大のために再配分され、新しい学部や大学院作りに転用・利用されるような事態が、多くの大学で顕著に認められます。こうして教養教育というものが、ますます専門教育の肥大化のもとで圧縮され、大学は結果的に、「高等専門学校」(Hochfachschule)の〝寄り合い所帯〟になるような危険が、目睫(しょうかん)の間に迫っております。こうしたなし崩し的に進行して行く事態に対抗するには、まずもって、〝大学人〟そのものが「教養」というものの生きた理念について、正しい認識を共有することが不可欠であろうと考えます。

さて第四番目に、現在の大学生について言及しておきたいと思います。日本でも今や高等教育を受ける人口比が四五%を越えようとするような段階をむかえまして、例のマーティン・トロウの段階説からいたしますと、「マス型」の大学からいよいよ「ユニバーサル型」——正確に申しますとユニバーサル・アクセス型——の大学へと移行しつつあるわけですが、その段階で押し寄せてくる大群の一般学生は、特定の職業目的も持たず、従って専門教育への具体的な関心も意識も稀薄なまま、ともあれ視野を広めて、自分の人間的成熟を漠然と求めて、知的・道徳的なアイデンティティというようなものも自ら積極的に発見するというより、ただ漠然と求めて入学してくるのであります。このような大多数の学生達に対しまして、真正面から応えていくのが現在の大学人の責務であろうかと思います。否、ただ単に彼らの漠たるニーズに対応するだけではなくて、その内的成熟へのニーズを「より人間的なるもの」への自覚と憧れへと導き、そして真に「人間ならでは」の次元の「生」を希求し、積極的にこれを〝志向〟するような、そうした精神的態度へと引き上げていくために、様々な工夫が是非とも必要であろうと思います。その意味で「キャンパス・ライフ」のあらゆる局面を通じて、きめ細かく行われる「人間的成熟」を目指す多様な工夫の総体が、実は現代にも妥当する「教養教育」の中核でなければならないと思っております。

それは然し、原理的には決して目新しい考え方ではございません。その好個の事例が、十九世紀初頭に創設されたベルリン大学であります。この「近代大学」の〝原型〟と謳われて今日に至っている大学の、基本的目的として、事前の構想段階から重視されていたのが「普遍的人間教養（陶冶）」（allgemeine Menschenbildung）という理念でした。すなわち、偏りのない全般的・調和的な人格と識見を兼備した、信頼に値する優れた「教養人」の育成こそが、〝まっとう〟な大学の基本目的と考えられたのでした。こうした早い段階から深く関与していたのが、ウィルヘルム・フォン・フンボルトやシュライエルマッハ等々、名だたる一群の「教養人」たちだったのでした。

ところで、右の包括的目的の理念と同時に、彼ら卓抜の学者グループが早くも念頭に置いていたのは、当の基本理念を現実に具体化する手立てに関してでした。就中(なかんずく)、フンボルトが長年にわたり熱心に尽力したのが「サロン」(Salons)と呼ばれる、ある種の〝同好者集団〟における緊密な「対話的交流」でした。そこでは、年長の先輩格と年若い後輩たちとが「共在ないし共生」(Zusammensein)する日常生活の中で、ごく自然な形で相互の人間的切磋琢磨が行われ、さらにそれを介して学問的にも成長・成熟が期待される。——こうした状況下で、本来は友愛や恩愛の関係であった〝先輩‐後輩〟の仲に、やがて学問研究に長じた年長者が、自らの研究内容や知見を後輩に〝伝授〟する面がクローズアップされ、いわば副次的に生じたこの成り行きが、あたかも「研究と教授との一体性(合一化)」(Einheit der Forschung und Lehre)という、狭義の〝教授学〟上の命題による成果であるかに誤認され、挙げ句の果てには、これこそがベルリン大学最大の特色であるかに喧伝されるに至ったのは、洵(まこと)に不幸な経緯であったと言わざるを得ない。蓋し(けだ)、取るに足らぬ下手な冗句か、さもなくば、いかにも杜撰(ずさん)な〝論理的飛躍〟かのいずれかである、と疑われかねない結末となったからであります。

それは兎も角として、フンボルトによって強力に推進された「サロン」活動の本旨は、要するに前述の「普遍的人間陶冶(教養)」の基本理念を、現実に保障すべき具体的実践そのものだったのであります。すなわち、より成熟した研究者とより若い学生との非常に長期間にわたる対話的な絆で結ばれた「相互の生の共同体」の実現が、まぎれもなく当時から目指されていたのであります。この勝義における「対話的共同」の伝統というものは、例のカール・ヤスパースの『大学の理念』における有名な「愛しながらの競い合い」(liebender Kampf) としてのコムニカツィオンという主張にも、あるいはさらにくだって現代でも、アメリカのアラン・ブルームの力説する「人間ならではの真実の交わり」の〝場〟ないし〝磁場〟としての「大学」の考え方にも、すなわち、平常の家庭生活なぞではとうてい期待できないような、「人間存在」における〝真実〟を愛し求めて止まぬ者同士の間で成立する、真正の人間的交わり(じんかん)——あるいはまた、その意味での「潜在的愛知者(哲学者)」たちが抱懐する勝義の「教養」観にも、一貫して脈々と受け継がれている考え方なのであります。

我々がイメージする本ものの「学問」と申すものは、単に知識を収集・記憶し、それを例えばコンピューターなどで機械的に大量処理し、スピーディに効率よく結果を出すといった、単純作業に尽きるものでは断じてありません。根本的に全く別次元の、厳正な自己省察に裏打ちされた苛烈な内的・精神的な営為であります。つまり、既に発見・獲得された知識につき、過去・現在・未来の全人類にとっての意味を厳しく批判的に検証し、真に有益かつ有徳と考えられる理念や理想に基き、主体的・実存的に評価を重ね、今後における「より人間的なるもの」(humaniora) への真摯な憧れと情熱と勇気を以って、積極的な将来像と指針を創出すべく、地道な探究を持続する覚悟を堅持し、しかも同時に他方、己れの潜在的迷誤や過誤と懸命に戦いながら、なおも「学び問う」ことに精励する有志同士の間で、常づね緊密に交わされる真剣な「対話・対質」(dialogos)を通じ、自ずとそこに各自の「人格的陶冶」の彫込みが一段と深まりゆくのではありますまいか。――そうした「学問と教養」との必然的連関が自然に成立し得る「磁場」ないし「磁界」こそが、すなわち「本もの」の学問的共同体たる「大学」でなければなりますまい、と私は考えておるのでございます。そして、この理想を現実的に保障すべき手だてを、キャンパス・ライフの〝全体〟にわたって再デザインすることが今後の「課題」となるでありましょう。それは例えば、――ほんの一例としてあえて申し添えることですが――さきほど冒頭で触れました、本センターが計画中の〔プロジェクトⅡ〕、すなわち「高度一般教育のシステム化に関する人間形成論的総合研究」として、具体策を含めて十分に検討さるべきであろうと考えております。

さて以上、私の問題意識の所在につきまして、四つの点にまとめてお話申し上げて参りました。そこからして、「教養教育」の理念と目的に関し、今改めて大学人たる我々が共通の理解と共同の意志、共合のインテンションと共有の姿勢態度を、確(しか)と保持しなければならない理由も何ほどかはご了解いただけたと存じます。

そこで次に、我が国戦後のいわゆる「一般教育」の〝原点〟にまで立ち戻って、教養教育なるものの理念に関する一層立ち入った考察を試みたいと思います。一九四七年九月から五〇年までの、ごくごく僅かな期間ながら、この時期の議論には、今日改めて顧みるべき〝本質的に重要〟な論点が含まれていると思うからです。

それは、「戦前の大学教育全体」を総括的に〝批判〟する作業の中で、いわゆる「一般教育」の目的や理念を位置づけ、定位づけようとする試みでございました。先ほども申しましたように、ごく少数の傑出した大学人の間に見られたものであります。当時の東京商科大学学長でありました上原専禄先生と、東京大学の総長でありました南原繁先生のお二人が、名実ともにこの時期の代表と思われます。例えば上原先生は、戦前の大学教育の欠点を次のようにとらえておられます。すなわち、「擬似的専門教育における一般教育意識の欠如と、擬似的一般教育における専門教育意識の欠如」という、〝二重の問題的側面の結合〟としてとらえておられます。つまり在来の大学教育では、本来相互に〝補完的な関係〟に立つべき一般教育と専門教育とが、それぞれに〝他方の極〟を意識すること〝すら〟もできないまでに狭隘な、「似非一般教育」と「似非専門教育」に成り下がってしまった、と嘆かれているのであります。そして、その狭さを克服する道として、「大学教育全体のヒューマナイゼーション」を強調しておられます。すなわち、「自然と人間とに対するある生活態度、精神態度の培養を目指し、人間精神、人間性能の多方面的展開」を志向する〝一般教育の重要性〟を力説されたのであります。そして特にその際に、一般教育ないし教養教育が「それとして完結したうえで、その次のステップとして専門教育が行われるというような教育体制そのもの」が、すでにして教養教育ないし一般教育の理念に〝背馳する〟ものであると強く批判しておられます。

ところで、このような上原、南原、両先生に代表される「一般教育」の原点ともいうべき理解は、明らかに「アメリカ教育使節団の第一次報告書」の内容に触発されたものでございます。この報告書の Higher Education に関する第六章に、Curriculum of Colleges and Universities という項目がございます。お手元の参考資料としてお渡しました「資料一」にご覧いただけますように、それの二行目以下のところをご注目ください。ここで同報告書は、従前の日本の高等教育カリキュラムを批判して次のように述べております。「一般教育 general education を施す機会があまりに少なく、その専門化があまりに早く、またあまりに狭すぎ、そして職業的色彩があまりに強すぎるように思われる」。こう述べまして、続けてさらにこう主張しております。「自由な思考（free thought）をなすための、より多くの背景を授け、職業的訓練などはそれに基づいて然るべきところの、〝より善美なる基盤〟（a better foundation）を与えるため、まずもって〝より幅の広い〟、人間性をあくまで尊重・擁護するような精神的姿勢態度（humanistic attitude）こそが啓培されなければならない」と。因に申し添えますと、今の文中にありました free thought の〝free とか liberal〟、あるいは better foudation の〝better とか

good〟、フランス語の〝bon とか belle〟とかいう言葉は、実は西洋精神史上、すでに特別の意味を担っている言葉でございます。総じてそれらは多かれ少なかれ、「人間ならではの」という意味を潜在的に含み持っており、人間固有の価値や尊厳といった事柄と本質的に関わりを持つ特別な言葉なのであります。つまり、ラテン語の humanitas（人間性）、humaniora（より人間的なるもの：教養）とか、英語の humanity や human や humanist や humanistic などとも、すべて一連の〝深い連関〟にたつ言葉であります。要するに、西欧のヒューマニズム（人文主義）の伝統と深く結びついた言葉なのであります。――そこで、このような伝統的含意も踏まえて、いま一度さきほど引用した「アメリカ教育使節団」の文章を、私なりにパラフレイズしておきたいと思います。すなわち「人間としての自由な思索を展開するための、より多様なバック・グラウンドを与え、職業的訓練なぞは本来そこに基づくべきところの、人間ならではの善美の基盤を授けるべく、まずもって、より幅の広い、あくまでも〈より人間的なるもの〉を求めて止まない精神的姿勢ないし態度を育成しなければならない。この啓培された humanistic attitude こそは、個々の学生のその後の人生を豊富ならしめると同時に、さらに彼自身の専門職業的活動を、人間ならではの諸価値が尊ばれる社会全体の中で、ピタリと適合させ得る道を、自主的に見出してゆく力量を保証する所以のものであろう」。

さて、今ここで説かれていました humanistic attitude の育成としての general education、すなわち本来の「一般教育」とは、お聞き下さったように、決して個別の〝職業や専門〟の予備教育ないし基礎教育といった意味合いのものではございません。このことを、まずは第一に銘記しておくべきだと思います。本来のそれは、ギリシア・ローマ以来の西欧「ヒューマニズム」（人文主義）に深く根ざすものであり、一貫してヨーロッパ教育の主流であり根幹をなしてきたところの、従ってまた十九世紀いっぱい、否、二十世紀の二十年代ぐらいまでは、ヨーロッパ文化全体を基本的に規定し続けてまいりましたところの、いわゆる〝liberal education〟ないし〝liberal arts〟の伝統を、正しく受け継いでいる教育理念なのであります。そしてまた、これが戦後日本の「一般教育」の理念的原型だったはずのものなのであります。

では、リベラル・エデュケイションとは、本来いかなるものであったのか。「リベラル・エデュケイション」を初めて定式化しましたのは、実は古代ギリシアのアリストテレスで、それをローマのキケロが引き継ぎ、それがさらにエラスムスなどのルネッサンス・ヒューマニスト達に引き継がれて発展し、少なくも十九世紀いっぱいまで、ヨーロッパの高等並びに中等教育の主流であり根幹をなしてきたものであります。アリストテレスは、人間の生存維持のために不可欠な生産労働に直接関わる時間のことを「多忙」（ascholia）と呼び、このアスコーリアから解放された自由な時間のことを「閑暇」（schole：スクールの語源）と呼んだのであります。そしてこのスコレーを、人間にふさわしく、より人間らしく活用し善用するのに充（あて）られるのが、すなわち「自由な教育」(liberal education) だったのであります。ところが、ギリシア・ローマの古代社会では、自由な時間がもてるのは、奴隷ならざる自由民だけに限られておりましたから、リベラル・エデュケイションというのは自由民・自由人のための教育でございました。二十世紀に入り、米国のかのジョン・デュウイによって激しく指弾されました、このような階級規定性の問題はしばらく措くといたしまして、総じて「リベラル・エデュケイション」とは、自由な時間を活用して、「自己自身」を本当に〝人間らしい人間〟、真に「人間」の名に値するような存在へと〝高めていく〟こと――言い換えれば、要するに、自己を〝より人間的〟に「リベラライズ」していく教育であると考えられたのであります。だからこそキケロは、その成果としての教養、自己を高めていった〝成果として〟の「教養」のことを〝humaniora〟すなわち「より人間的なるもの」と名付けたのでありました。

では、ここに謂う「リベラライズ」とは、具体的に何を意味するのでしょうか。ここでは、人間存在における次のような三つの「自由・解放」が考えられていると言えましょう。第一は政治的・社会的な自由。すなわち、政治的・社会的に他者からの掣肘を一切受けない自由を保証するという意味です。第二は知的な自由。すなわちソクラテス以来の、あの「論理の導くところに従い行こうではないか、それがいずこであろうとも」といった、要するに、学のための学、真理のための真理探求といった意味での知的自由を保証すること。そして第三番目が道徳的自由。自己の内なる実践理性に基き欲望や衝動を斥ける。つまり、感性的自己からの〝解放〟という意味であり、これはずっと後に、十八世紀の大哲学者カントが人間の「内的自由」(innere Freiheit)——究極的には「自律」(Autonomie)——と呼ぶに至ったことは、先刻ご存じのとおりでございます。

こうして、「真に人間らしい人間」として持つべき「三つの自由」を保証する教育が、すなわち「自由な教育」(Liberal Education)と名付けられているのであります。そこでは明らかに、価値的に「より高次な人間」の育成が企図されていました。したがって、ここにいう「リベラライゼーション」とは、直ちに「より善き」humanization に外ならないことはお断りするまでもございません。

ところで、キケロはこれらのうち特に第三番目の道徳的自由を重視しましたが、彼は人間の、わけても「人間ならでは」の特徴たる精神的高貴性のことを〝humanitas〟、つまり「人間の人間たる所以のもの」「人間性」と名付けました。そして、このフマニタスを保証すべき学問のことを〝studia humanitatis〟とも呼んだのであります。そしてその具体的内容としては、ギリシアやローマ人達が培った「より人間的なるもの」の宝庫たる、例えば哲学だとか、詩だとか、修辞学、歴史、倫理学などが考えられたのであります。要するに、今日 humanities(人文学)と呼ばれているものに外なりません。これらは、人間における「人間ならでは」の本性と、人間らしい品位ある行動に直接に関わるような〝叡智〟を含む学問として、これを学ぶ者の内面に、「人間とは本来どのような存在であり」、「いかなる生き方をなすべきか」ということについて〝自己省察〟を喚起し、それを通じて学ぶ者の「人生観、世界観の主体的な陶冶」に大いに資する学問群だと考えられたのであり、したがって、人間形成上必須の学問と見なされてまいったわけであります。

こうしてキケロ以来、「フマニタス」は、これら人文学ないしリベラル・アーツの研鑽を通じてはじめて獲得され来たるものと考えられており、その意味で「フマニタス」とは、決して〝所与〟としての人間性をいうのではありません。そうではなくて、〝人間固有の精神的価値〟や〝尊厳性〟へと自己を「鍛え磨き高めた」結果、そこに自ずと成果として生ずる「より人間的なるもの」(humaniora) としての「教養」、——これに外ならぬものが、すなわち真の人間性 (humanitas) であると見なされてきたわけであります。

ところで、今述べましたヨーロッパの伝統的な「教養」理念が、先程ご紹介した戦後日本における「新制大学」発足当時の段階での、南原先生や上原先生の「一般教育」観にもダイレクトに反映していたことはお断りするまでもありません。けれども、現代では教養の問題は、両先生がお考えになられたような「個人的教養」としてのみならず、それを大きく越えて、もっとグローバルな、否、もっと〝人類史的な規模〟での、「全人類の命運」がかかった〝喫緊の実践的課題〟としても、改めて深刻に再検討・再把握されるべきでありましょう。

今日における教養とは、決して高尚な趣味や優雅な生き方なぞではございません。さきほど問題意識の所在の箇所で言及しましたように、現代のさし迫った「人間存在そのものの危機」について、勝れた意味での「批判」を実践的に〝行ずる〟ところの、その当の主たる対象こそ、即ち「教養」でなければなりますまい。なればこそ、壮大な人類史を通じて、「ホモ・サピエンス・サピエンス」が自ら創り生し築き上げ来たった、「より人間的なるもの」としての「フマニタス」（人間性：教養文化）と、その尊厳をあくまで擁護する〝humanistic attitude〟が、今こそまずもって意図的かつ集中的に啓培されねばなりますまい。そのためには、前述の如き「リベラル・エデュケイション」「教養教育」「一般教育」といった、人類史上の主たる教育的伝統の「趣意」に則りつつ、同時にまた、その根本精神を、現代状況に如何に活用し得るかについて、腰を据えて真摯に模索することが不可欠であろうと存じます。

ただし、それは並大抵でない難事業となること必定でありましょう。不退転の覚悟を以て、慌てず怖れず諦めず、冷静に試行錯誤を重ねる外に捷径（近道）はないでしょう。その多大な労苦を敢えて真摯に背負うことは、正に将来の全人類の本質的命題に直結する「世界観の大転換」をも主導する高邁な立場に立脚することに外なりません。そこで今ふと思い出すのは、十九世紀の著明な思想史家T・カーライルが語った次の言葉であります。「我々の前には幾世代もの人々がいた。そして後にも、多くの世代が続く。彼らは今、我々が何をどう選択するかを、瞠目（watch）して待っている」と。してみれば、現代に生きる我々も、自ずと「自恃自彊」を旨とせざるべからず、と申せましょう。

そこで最後に、時間も切迫いたしましたので、お手許の参考資料の一番最後のページ、ナンバーで言いますと〔参考資料の四〕に則りながら、京都大学が構想しまして、平成五年度よりスタートさせております教養教育としての「高度一般教育」について、ごく簡単にご説明して結びと致したいと存じます。ここで「各専門ディシプリンから提供される教養科目としての高度一般教育」と題されておりますペーパーは、冒頭で触れた京都大学における教育改革の基本方針について検討・協議しました全学委員会の席上で用いた資料の一部であります。正確に申しますと、「教育課程等特別委員会」の内に設けられた「カリキュラム等検討専門部会」、とりわけそのサブセクションたる「第一分科会」を中心に、一九九二年の段階で種々検討を重ねた折の資料を複写したものでございます。

そこで〔I―a〕と書いてあります個所は、言うなれば〝状況論〟でございまして、現代の先端諸科学技術の躍進をめぐる――前述の如き――状況下では、すべてのものの自明性が崩壊しつつあり、すべてが questionable（不確か）になりつつある。そういう只中にあって、各専門の学問も、やはり同様 questionable になってきている。そこで各ディシプリンごとに、自らのレゾンデートル（raison d'être：存在趣旨）の弁証に迫られている。こういう事態を我々は厳正に認識し、自覚すべきだということを、そこで指摘しておいたつもりであります。

次に〔I—b〕は、〝学問論〟とでも申しましょうか。およそ学問が学問として成立するためには、各ディシプリンはそれぞれ独自の立場から、改めて自己の学問の「可能と限界」を〝省察〟することが、つまり勝れた意味での「自己批判」が不可欠なはずであります。言葉を換えて言えば、学問である以上は、自らの内に批判原理を持ち合わせる必要がありましょう。そしてその際、根本的に問われねばならないのは、「人間存在にとって」例えば医学とは何か、法学とは何なのか。人間存在にとって農学とは、工学とは、薬学とは何なのか。あるいは、医学は人間存在にとっていかなる意味を持つのか等々といった厳端なる問いでありましょう。その勝義の批判的問いの究極的基準たるべきものが、「人間存在」(Human Being) であることはいうまでもありません。ところで、ヒューマン・ビーイング、すなわち「人間が人間らしくあること、人間らしく生きること」とは抑々何かというと、これは決して一義的な正解が得られるような問いではありません。絶えずクウェスチョン・マーク付きの、不断に「開かれた問い」(offene Frage) でなければなりますまい。したがって、この「人間存在」とは何かという開かれた問いを、各ディシプリン独自の立場からそれぞれ問い続けることが、今後の学問としては不可欠であることを、ここでも特に強調したつもりであります。

つづいて第〔Ⅱ〕の個所。各ディシプリンは今日改めてそれぞれの立場から、「人間存在」なる〝謎〟と取り組むことを通じて、専門学問としての自明性を改めて構築し直す必要に迫られていることになります。すなわち、自らの学問が人類社会に対して何を貢献できるのか、その反面でまた、いかなる危険や問題や災厄さえ齎しかねないのか。――こういった厳整な自己省察を通じて自らの学問のアイデンティティを、改めて〝建て直す〟必要があるでありましょう。

さて、そこで第〔Ⅱ〕の部分にまいりますが、そもそも「大学」における教育は、すべて創造的な学問研究の〝裏付け〟がなければなりませんが、右に見たごとき各ディシプリンごとの新たな学問的チャレンジないし再創造は、それに基づく教育の面にも直接・間接に反映され、京都大学全体として総合的に見ますと、そこに〝新たな教養教育〟としての「高度一般教育」の目標も、やがては顕現してくると思われます。それは、学生一人ひとりの胸奥に“humanistic attitude”を啓培・涵養する要因とも連なり、そしてそれはまた、最終的には「人間」という洵に稀有なる存在を真に〝尚ぶ〟思想と実践へと繋がりゆく由縁とも思われます。今ここで、時間がありませんので非常に端的な言い方をしますならば、「高度一般教育」としての教養教育が、個々の学生の内面に究極的に啓培しようとするところのものは、あくまでも「人間がより人間らしく在ること」「より人間らしく生きること」への〝憧憬と畏敬〟に外ならず、またそれへの〝勇気と情熱〟である、と言ってよいでありましょう。そこで蛇足ながら、先程らい指摘して参りました本質的に「開かれた問い」について、次の一点を敢えて〝注記〟させて頂きたいと思います。と申しますのも、徹底して問いを重ねても一義的な截然たる結論なぞ、元来得られようはずもない類いの問いが人間には明らかに存するからです。とりわけ文科系の学問分野では、そうしたケースが多く見られましょう。例えば、人間存在におけるいわゆる「生死」の問題が差しづめ〝筆頭〟でしょう。然しだからといって、それは決して取るに足らぬこととは申せません。「人間とは何か」という悠久の〝謎〟をめぐり、人類史上の錚々たる先賢・先哲たちとの真摯な「愛知」(philosophia)のための「対話・対質」の積み重ねを通じ、自ずと当人自身、人格陶冶が促進・醇化される。――そうした「非定形の成果」こそ、実は私どもの目指す「高度一般教育」ないし勝義の「教養教育」の究極目標に外ならぬものなのであります。

人の「生死」は、そもそも〝天命・天寿〟なのであって、元来は各自にとって絶対の「所与」で、己れの裁量で左右されるはずもない事柄です。それは、本来的に〝有限なる〟「人間」を遥かに超出した、絶対の「包越者」(der Umfaßende : ヤスパース)からの「所与」であり「賜もの」に外ならぬものであります。にも拘らず他方、その全くの所与を既に〝享受〟している身にしてみれば、それは紛れもなく〝吾がもの〟(das Meine)に違いない。つまり、この生死の問題は決して単純な客観的「事実問題」ではなく、実は寧ろ「人間実存」に深く根差す、「開かれた問い」（die offene Frage）そのものに留まらざるを得ない〝謎〟なのであって、従ってそれは、〝自覚〟を根本特徴とする人間存在固有の「アイロニー」（eironeia）とも、「フモール」（humor）とも称せらるべき、正に〝二律背反〟の根源的リアリティといわざるを得ない。

しかも時折そこには、もう一つ別の〝玄妙不可思議〟な精神現象が、人の「生死」をめぐり現成することに注目せざるを得ない。すなわち、自己の「心身の生か死か」ギリギリの究極的局面に立ち到ったとき、人は従前の自己から一挙に〝より高次元〟の心境・境涯へと、見事に〝飛翔・超脱〟するケースが、夙にシェイクスピアをはじめ、少なからぬ慧敏な〝人間探究者〟によって、ほぼ同様の躍動する人間精神の機微に関して、それぞれ個性的に表現されている事実を、総て無視する道理はないでしょう。時間も切迫しているので、因みに著名な実体例のみを挙げれば、ペスタロッツィの〝死の飛躍〟（salto mortale）、ゲーテの〝死して生れ〟（Stirb und werde !）、下ってはベルグソンの〝生の飛翔〟（élan vital）。あるいはシラーの〝Don Carlos〟〝Wallenstein〟〝Maria Stuwart〟などの悲劇における主人公たちの最期等々。これら各事例の総てを通じ、そこからは、究極的に「清朗（性）」（Serenity）とか「崇高（性）」（das Erhabene）とかいった宗教的な心情・心意が開示され来たるやに思われます。

以上で、本大学における「教養教育」に関する研究センター長としての発言を終わりとさせて頂きますが、つきましても当センターに対する忌憚なき御批正・御忠言を、今後とも何卒宜しなにお寄せ下さいますよう、ここに伏して懇願申し上げる次第でございます。なお、お手許の「参考資料Ⅱ、Ⅲ」は、本日お話申し上げました内容の、いわばキーワーズにあたると同時にバック・グラウンドとも申すべき、「教養」とか「人文主義」について、予て簡単に解説しておいたものであります。ご参考までにお届けした次第でございます。長時間に及ぶ御静聴に衷心より感謝申しあげます。

〔了〕

（於　京大会館「第二回大学教育改革フォーラム」平成七（一九九四）年十一月十三日）

# あとがき

かつてケネディ時代の米国で、「私には夢がある」（I have a dream）と、黒人大観衆に向かって公言したのは、キング牧師であった。それをテレビで聴いた途端、思わず「I have had the great dream!」（俺にはズット以前から、あの大いなる夢があった）と叫んだ記憶がある。外でもない。私の痛哭の「広島体験」から、激しい反戦・原爆反対を経て、私の胸底に「世界平和」への切なる希求が、若い頃から熱く宿っていたから。

ところで現在の私は、はや所謂「米寿」を迎えたのだが、実はつい先達まで、つまり本書の「まえがき」を書き了（お）えるまでは、二つの内心忸怩たるものを感じていた。一つには、昭和一桁生まれとしての世代的責務、そして二つには職業人たる教育学者の責務を、両方とも十分に果たしていないのではとの自責の念であった。

ところが今ここで、自分なりの独自な教養論を閉じる時点で顧みると、上来自分自身の内部から迸（ほとばし）り出る〝本音〟を、そのまま掛け値なしに綴ってきたが故に、却って右の二つの懸念は自ずと全体の中で解消されており、更（あら）めて反復する必要もあるまい。

さて次に、目下「新型コロナ・ウイルス」をめぐる世界的な諸種の混迷に関して、このたび偶々ながら「人間教養」を主題とする本書を世に問う本人として、些かなりと言及すべきであると思う。とりわけ今回の騒動は、通常のそれとはスケールも次元も大きく異なり、遥かに巨大な「大自然」からの、現代人類全体における過剰な――かつてM・ルターが人類最大の罪と指弾して戒めた――「暴慢」(superbia)に対する重大な反発・叛逆と受けとめるべきものであろう。つまり、今後の人類の命運を決するほどの、決定的「しっぺ返し」と観ずるべきであろう。それ故にまず以て、そうした覚悟を確乎と持したうえで、一転して逆にこれを好機とし、今後の人類の本質的な「在り様」を〝より善美に〟変革する意気込みで、真摯に遥か遠くに達成すべき課題として、今こそ理念・理想を改めて〝愛求〟すべき秋ではあるまいか。因みにラテン語の原義に溯れば、(i)人間性(humanitas)と、(ii)より人間らしく在ること、すなわち「教養」(humaniora)と、(iii)さらに人間の本来的「有限性」の自覚たる「謙譲・謙遜・謙虚」(humilitas)の三者が、相互に一連の内的意味連関を構成しておるのであり、この意味の連関を実践的能動的に体得するのが、つまり「人間教養」に外ならないのである。

以上で本書は結びとするが、私が日頃何か落ち込んだ折りには、自身に向かって次の一語を呼びかけることにしている。本書でご縁を得た皆さん方に、同じ言葉を贈りたいと思う。

――〝Self-resilience!〟

〔追白〕

酷い人生のスタートだったためか、不愍に思われた当時の心温かな大人の皆様から、あの敗戦直後の万事窮迫の最中、実に手篤い御恩情に与ったにも拘わらず、その御恩報じを果たすべくもないまま、はや八十七歳の老翁になった。その間にも、各年代の各種各様の方々から言葉には到底尽くしがたい多彩なお力添え、ご高配を頂戴しており、それら御恩の深い方々の、その都度の眼差し、声音、息遣い等々、今なお具に鮮やかに甦り来る。その後も、幸い年齢の異なる「友人」や「仲間」たちに囲まれ、今日に至っている。

その一環として、今回も中々腰を挙げなかった頑固者の私の心の向きを、幾度も熱心に口説いて「後世の若者のために」という目的で出版を応諾させてくださった方々が三十名を超える多さで、戸惑うばかりの親身な御尽力に、ただただ恐懼して御礼申し上げるばかり。わけても、古くからの謂わば肝胆相照らす〝仲間〟として、忌憚なく純粋に学問的論議を交わし得る、村島義彦氏、皇紀夫氏、衣笠慶子氏、西村拓生氏の四氏を、上記のごとき御交誼を得ている方々の正に代表として、ここに御芳名を掲げさせて頂くことにした。

加えて、これまで出版など晴れがましいことは一切自分から遠ざけてきた著者に、必要な段取りや手順を、懲りもせず親切に手ほどき下さった文理閣代表の黒川美富子氏にも深甚の謝意を表し上げる次第である。

しかも、私にとって最初の単行本上梓の全過程を通じ、改めて「人間」という存在の「驚く」（wonder）べき〝素晴らしさ〟（wonderfulness）を、正真正銘〝肚の底から〟「納得」できたのは、著者として実に大きな収穫であった。

岡田渥美

著者紹介

岡田渥美（おかだ・あつみ）

〈1996年撮影〉

1933年　長野県に生まれる
1953年　松本深志高等学校卒業
1957年　京都大学教育学部卒業
1963年　京都大学大学院博士課程修了、日本学術振興会特別研究生
1963～73年　大阪大学文学部哲学科助手—助教授
1973～96年　京都大学教育学部助教授—教授—学部長・同研究科長—同大学高等教育研究センター長
1978～79年　University of London, Institute of Education, Senior Fellow
1996年　京都大学停年退官、同大学名誉教授

【主要論文】（本書掲載分を除く）

Th. Elyotの「為政者」教育論とヒューマニズム——イギリス近代政治人「ジェントルマン」の理想生成（京都大学教育学部紀要、11号、1965）
「平等」問題としてのパブリック・スクール（大阪大学人間科学部紀要、第1巻、1975）
Double Crisis of Humankind, the 9th Roundtable of IAU, under the Title "Role of Universities in the 21st Century", 1993
『老いと死——人間形成論的考察』（玉川大学出版部、1994）
「脳死判定—臓器移植」と人間の生（human life）——近代知の再吟味を通じて（『医学哲学・医学倫理』13号、1995）
教育学研究における高度化とは——大学の責務の観点から（教育哲学研究、73号、1996）

人間にとって「教養」とは

2020年7月15日　第1刷発行

著　者　岡田渥美
発行者　黒川美富子
発行所　図書出版　文理閣
京都市下京区七条河原町西南角　〒600-8146
TEL (075) 351-7553　FAX (075) 351-7560
http://www.bunrikaku.com

印刷所　モリモト印刷株式会社

ISBN978-4-89259-868-5